彼得兔的故事

[英] 毕翠克丝·波特 著

杨毛毛 编译

北方妇女儿童出版社

长春

图书在版编目（CIP）数据

彼得兔的故事／（英）波特著；杨毛毛编译．—长春：
北方妇女儿童出版社，2016.4（2018.6 重印）
　ISBN 978-7-5385-8165-2

　Ⅰ．①彼…　Ⅱ．①波…　②杨…　Ⅲ．①童话－作品集－
英国－现代　Ⅳ．① I561.88

　中国版本图书馆 CIP 数据核字（2016）第 007924 号

出 版 人：刘　刚
策　　划：师晓晖
责任编辑：熊晓君　于佳佳
责任校对：王天明
制　　作：[毛豆图书] （www.rzbook.com）
开　　本：889mm×1194mm　1/16
印　　张：12
字　　数：120千字
印　　刷：北京天宇万达印刷有限公司
版　　次：2016年4月第1版
印　　次：2018年6月第3次印刷

出　　版：北方妇女儿童出版社
发　　行：北方妇女儿童出版社
地　　址：长春市人民大街4646号
　　　　　　邮　编：130021
电　　话：总编办：0431-86037970
　　　　　　发行科：0431-85640624

定　　价：40.00元

前言

　　在英国乃至世界的卡通史上，有一个著名的兔子形象经久不衰，他就是彼得兔。这只可爱的兔子给无数孩子甚至成人都送去了数不清的欢乐，但是许多中国读者也许还不知道，正是英国著名的儿童读物作家毕翠克丝·波特用美丽的文字与图片让彼得兔和他的朋友们跃然于纸上的。

　　毕翠克丝·波特，1866年生于英国伦敦一个富裕的家庭，从小她和弟弟一起跟随家庭教师，逐渐接受了文学、美术及音乐等方面的教育。她是一个内向、害羞、热爱大自然的人，从小便有很多小动物陪伴她一起长大，和她一起玩耍，兔子、小松鼠、小刺猬……都和她是亲密无间的朋友。等到长大后，这些儿时的玩伴便成了波特作品中活灵活现的主要角色：小兔彼得与本杰明、小松鼠纳特金、刺猬提吉·温克夫人……每一个故事中，都可以寻觅到她生活的影子。

　　1893年，波特为了安慰她曾经的一位家庭女教师生病的儿子，开始了"彼得兔"的创作之旅。1902年，《彼得兔的故事》正式出版，一面世便获得了巨大的成功，直到今天，这部作品仍然是欧美国家家喻户晓的名著。

　　波特的作品充满童心童趣，孩子会亲密地把这些故事中的主人公当成自己的小伙伴，在它们的故事中找到自己的影子。这些故事生动活泼却毫不喧哗，质朴单纯却意味深长，让孩子在故事的熏陶和指引中长大。

CONTENTS
目录

兔子彼得的故事

从前，有四只小兔子，他们是弗洛普西、莫普西、棉球尾巴和彼得。他们和妈妈一起住在一棵高大杉树底下的沙丘上。

"现在，亲爱的孩子们，"有一天早上兔妈妈说，"你们可以到田野或小路去，但是千万不能进入麦格雷戈先生的菜园哟。

"你们的爸爸就是
在那里出了意外，他
被麦格雷戈太太做成
馅儿饼了。

"现在玩儿去吧，
不要闯祸。我要出
去了。"

于是兔妈妈拿
起篮子和雨伞，穿
过森林去了面包店。
她买了一条黑面包
和五个带葡萄干的
小圆面包。

fú luò pǔ xī　　mò pǔ
弗洛普西、莫普
xī hé mián qiú wěi ba dōu shì xiǎo
西和棉球尾巴都是小
guāi guāi tù　　pǎo dào lù biān qù cǎi
乖乖兔，跑到路边去采
hēi méi le
黑莓了。

dàn bǐ dé　　　　zhè ge fēi cháng táo qì de jiā huo
但彼得——这个非常淘气的家伙，
zhí bèn mài gé léi gē xiān sheng de cài yuán ér qù　　hái cóng dà
直奔麦格雷戈先生的菜园而去。还从大
mén xià bian jǐ le jìn qù
门下边挤了进去。

彼 得 先 吃
了 一 些 莴 苣 和 四
季 豆，接 着 又 吃
了 点 儿 小 萝 卜。

然 后 他 觉
得 不 太 舒 服，
便 去 找 芹 菜。

dàn shì dāng bǐ dé rào guò
但是当彼得绕过

huáng guā jià de jìn tóu shí tā
黄瓜架的尽头时，他

yù dào de bù shì bié rén zhèng
遇到的不是别人，正

shì mài gé léi gē xiān sheng
是麦格雷戈先生！

mài gé léi gē xiān sheng zhèng pā
麦格雷戈先生正趴

guì zài dì shang yí zhí nèn bāo cài
跪在地上，移植嫩包菜，

bù guò tā lì mǎ tiào le qǐ lái yī
不过他立马跳了起来，一

biān zhuī gǎn bǐ dé yī biān huī wǔ zhe
边追赶彼得，一边挥舞着

pá zi dà hǎn zhàn zhù xiǎo tōu
耙子大喊："站住，小偷！"

bǐ dé hài pà jí le zài
彼得害怕极了，在

cài yuán li dào chù luàn zhuàng yīn
菜园里到处乱撞，因

wèi tā yǐ jīng bù jì de huí mén kǒu
为他已经不记得回门口

de lù le tā zài bāo cài dì li
的路了。他在包菜地里

diū le yī zhī xié zài tǔ dòu dì
丢了一只鞋，在土豆地

li yòu diū le yī zhī
里又丢了一只。

丢了鞋子之后，
彼得甩开四条腿跑得
更快了，要不是不幸
地撞上了醋栗田里
的一张网，夹克上的
大纽扣被卡住的话，他可能
已经逃掉了。那是件有着黄铜纽扣的蓝色
夹克，还挺新。

彼得不知所措，索性
放弃挣扎，大滴大滴地
流着眼泪。一些友善的麻
雀听到了哭声，激动地
飞到彼得身边，劝他再
努力一次。

麦格雷戈先生带着一个筛子走了过来，想要迎头罩住彼得，但是彼得及时挣脱，留下夹克逃走了。

然后彼得冲进一间工具房，跳进一个喷水壶。如果不是里面水太多了，那儿倒是一个绝佳的藏身之处。麦格雷戈先生非常肯定彼得躲在工具房里的某个角落。

说不定就在哪个花盆底下。麦格雷戈先生开始小心翼翼地把花盆翻过来，一个一个检查。就在这时，彼得打了个喷嚏——阿嚏！

麦格雷戈先生立马就冲他追去，还试着用脚去踩住彼得。这家伙跳出了窗外，还打翻了三盆花。

那窗子对麦格雷戈先生而言太小了，而且他追彼得累得够呛，于是回去工作了。

彼得坐下来休息。他气喘吁吁，害怕得直抖，而且对该往哪儿走毫无头绪。因为刚才躲在喷壶里，他浑身已经湿漉漉的了。

过了一会儿，彼得开始走动，一蹦一跳地四处张望着。他在一堵墙上找到了一扇门，不过是锁着的，而且门下边的空间也不够让一只小肥兔挤出去。

一只上了年纪的老鼠在石阶上进来出去，把豌豆和豆子运送到她在树林里的家。彼得问老鼠去大门口的路，可是老鼠嘴里塞着一颗很大的豌豆，没法儿回答。老鼠对彼得摇了摇头，彼得哭了起来。

接着彼得试着找到一条可以直接穿过花园的路，可是却越来越晕头转向了。不一会儿，他来到一个池塘边，麦格雷戈先生正在这里给喷水壶灌水。

一只白猫正盯着一些金鱼，静静地坐着，只是尾巴尖儿时不时地动一下，仿佛只有尾巴尖儿是活的。

彼得觉得最好还是走开，别跟白猫说话。他从表兄弟本杰明小兔那里听说过关于这些猫的故事。

彼得又掉头朝着工具房走，但突然在离他很近的地方听到了锄头刮擦、刮擦的声音。彼得飞奔进了灌木丛。

彼得看着没什么事儿发生，不一会儿就出来了，爬上一辆独轮车偷偷看着。第一眼就看到了麦格雷戈先生正在锄洋葱。麦格雷戈先生背对着彼得，更远处就是那扇大门。

彼得悄悄地爬下独轮车，能跑多快就跑多快，在黑醋栗丛后面沿直线狂奔。

麦格雷戈先生在拐角处看见

了他，但彼得顾不了这些了，从大门下钻了出去，终于平安地来到了菜园外的树丛里。

麦格雷戈先生挂起彼得的小夹克和鞋子，装作稻草人来吓唬黑鸟。

彼得一直没有停止奔跑，也没往回看，一直跑回到大杉树下的家。

他疲惫不堪地倒在兔子洞里柔软的沙土地上，闭上了眼睛。

兔妈妈正忙着做饭。她很想知道彼得把他的衣服丢到哪里去了。这已经是两个星期以来彼得丢掉的第二件夹克和第二双鞋了。

wǒ hěn yí hàn de shuō
我 很 遗 憾 地 说，

nà tiān wǎn shang bǐ dé de shēn tǐ
那 天 晚 上 彼 得 的 身 体

bìng bù shì hěn shū fu
并 不 是 很 舒 服。

tā mā ma jiāng tā fàng zài
他 妈 妈 将 他 放 在

chuáng shang zuò le yī xiē gān jú
床 上，做 了 一 些 甘 菊

chá bìng gěi le bǐ dé yī jì
茶，并 给 了 彼 得 一 剂。

shuì qián yào hē diào yī
"睡 前 要 喝 掉 一

tāng sháo
汤 勺。"

ér fú luò pǔ xī
而 弗 洛 普 西、

mò pǔ xī hé mián qiú wěi ba
莫 普 西 和 棉 球 尾 巴，

wǎn cān chī dào le miàn bāo
晚 餐 吃 到 了 面 包、

niú nǎi hé hēi méi
牛 奶 和 黑 莓。

小松鼠纳特金的故事

这是一个关于一条尾巴的故事。这条尾巴属于一只红色的小松鼠，他的名字叫纳特金。纳特金有很多表亲，他们一起住在湖畔的树林里。

湖中央有一个小岛，小岛被树木和灌木丛覆盖着。树林中耸立着一棵高大的橡树，橡树上有一个洞，这里就是猫头鹰——老布朗的家。

秋天到了，树上的坚果已经成熟了，树叶泛起金黄色。纳特金、闪浆果哥哥和其他小松鼠全都跑出了树林，来到湖边。

这些小松鼠用树枝扎起了一只只小木筏，他们乘着木筏划过湖面，来到猫头鹰居住的小岛采集坚果。每只小松鼠都带着一个小口袋和一支大船桨，还把尾巴展开当作船帆。

小松鼠们还给老布朗带来了礼物——三只肥硕的老鼠。他们将礼物放在老布朗门口的石阶上。

闪浆果和其他小松鼠向老布朗深深地鞠了一躬，彬彬有礼地问："尊敬的布朗先生，您能允许我们在您的小岛上采坚果吗？"

可纳特金却表现得非常无礼。他在那里乱蹦乱跳，嘴里还一个劲儿地唱着："给你出个谜。一个小不点儿，身穿红红衣，手拿长木头，嘴含小

石子_儿。如果猜得出，赏你一个小银币。"

这已经是个老掉牙的谜语了，布朗先生根本不屑于理会纳特金。他倔强地闭上眼睛睡着了。

小松鼠们在口袋里装满了坚果，到了晚上，他们就划着小木筏回家去了。

第二天早上，小松鼠们又来到小岛。这一次，闪浆果和其他小松鼠带了一只美味的胖鼹鼠，请求道："布朗先生，我们能在您的小岛上多采摘些坚果吗？"

然而，纳特金还是很无礼，他一边挠着老布朗先生，一边唱："老布布，猜猜谜。尖刺在墙外，尖刺在墙里，如果你碰它，尖刺就咬你！"

老布朗先生叼起鼹鼠走进房门，一缕果木燃烧时产生的青烟冒了出来。纳特金透过锁孔往里偷看，并唱道："房间里满满，树洞里满满，可你却装不满一个小碗。"

小松鼠们找遍整座小岛，将坚果装满口袋。可纳特金却收集了一些橡果，一边玩儿橡果，一边监视老布朗的房门。

第三天，小松鼠们早早来到湖边去钓鱼。他们将钓到的七条大鲤鱼作为送给老布朗的礼物。

但纳特金依然毫无礼貌，没有给老布朗带来任何礼物。他跑在最前面，嘴里唱着："有人在荒野，曾经问过我，海里有多少草莓果？我想了想，回答道：正像树林中的红哈林鱼一样多。"

虽然答案很清楚，老布朗先生对这些谜语还是毫无兴趣。

第四天，小松鼠们带来了六只胖甲虫。他们将每只甲虫都用树叶精心地包裹起来，并且用松针将它们固定。不过纳特金还是无礼地唱着："猜猜谜。英格兰面儿，西班牙馅儿，雨水将它黏成团儿，放进口袋中，再用细线系，你若猜出来，戒指送给你。"

纳特金真是太滑稽了，因为他根本没有戒指可以送给老布朗。其他小松鼠都在寻找坚果，纳特金却收集着花绒球，然后在上面插满了松针。

第五天，小松鼠们带来的礼物是野花蜜。它们是如此的香甜浓稠，当小松鼠们将礼物放在老布朗家门口的石头上时，他们忍不住舔起了自己的手指头。这些野蜂蜜可是小松鼠们从山顶一个马蜂窝里偷来的。

可是，纳特金却又唱了起来："我翻过小山顶，遇见小精灵，脖子黄澄澄，脊背黄澄澄，嗡嗡越过小山顶。"

lǎo bù lǎng xiān sheng jiāng mù
老布朗先生将目

guāng zhuǎn xiàng yī páng　　duì nà
光转向一旁，对纳

tè jīn de wú lǐ shí fēn yàn wù
特金的无礼十分厌恶。

bù guò　　lǎo bù lǎng xiān
不过，老布朗先

sheng hái shi chī guāng le suǒ yǒu de
生还是吃光了所有的

yě feng mì
野蜂蜜。

xiǎo sōng shǔ men yòu
小松鼠们又

jiāng jiān guǒ zhuāng mǎn le tā
将坚果装满了他

men de xiǎo kǒu dai
们的小口袋。

kě shì nà tè jīn
可是纳特金

què yī zhí zuò zài yī kuài
却一直坐在一块

píng tǎn de dà yán shí shang
平坦的大岩石上，

yòng yī gè shān zhā guǒ jī
用一个山楂果击

dǎ zhe lǜ sè de sōng guǒ
打着绿色的松果，

wán qǐ le yóu xì
玩起了游戏。

第六天，是一个星期六，小松鼠们最后一次来到小岛。这一次，他们抬着一个用灯芯草编织的小篮子，里面装着一枚新鲜的鸡蛋，这是他们给老布朗先生最后的礼物。

可是，纳特金却跑在最前面，笑着、叫着："河中睡着一个小鼓包，白床单绕在脖子上。四十个医生、四十个工匠，无法让小鼓包坐端庄。"

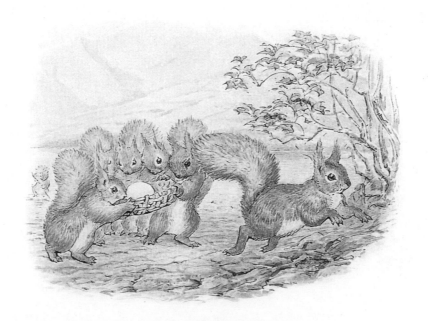

老布朗先生对鸡蛋的确产生了兴趣。他睁开一只眼睛，然后又闭上了，依然一言不发。

纳特金更加放肆起来："老布！老布！马龙头、马龙头，在国王厨房的大门口，国王所有的马和国王所有的兵，没法儿拉动那马龙头，没法儿让它离开厨房大门口！"

纳特金像一束光柱一样上下舞动着，但是老布朗还是一言不发。

于是纳特金又唱了起来："亚瑟骑士的衣带破了，他对着大地开始怒吼。苏格兰国王使尽全力，拿亚瑟骑士却枉然。"

纳特金发出像风一样"呜呜"的声音，纵身一跃，跳上了老布朗的头顶。随后立刻传来一阵翅膀的拍打声和拼命挣扎的声音，还有一声尖叫："呀！"其他的小松鼠被吓得四处逃窜。

小松鼠们小心翼翼地躲在一棵大树背后，偷偷地望着。

老布朗依然静静地坐在门口的石阶上，闭着眼睛，好像什么

都没有发生过。不过纳特金却被装在了他的背心口袋里。

故事似乎应该结束了，不过还没有。

老布朗将纳特金带进了自己的房子，他提起纳特金的尾巴，准备将他的皮剥下来。不过纳特金拼命挣扎，最后将尾巴挣断，冲上楼梯，通过屋顶的天窗逃了出来。

今天，如果你在大树上遇见纳特金，不妨给他猜个谜语，他肯定会一边向你扔树枝，一边跺着脚说道：

"去去去，去去去，去去去！"

格罗斯特的裁缝

很久很久以前，人们喜欢在腰里佩带宝剑，头戴假发，穿下摆很长很长的裙子，上面还绣着各种美丽的花样。绅士们身穿褶袖上衣，马甲是用丝绸制作的，镶着金花边儿。

就在那个时代，格罗斯特城里居住着这样一位裁缝，他在西门街开了一家小店铺，每天盘腿坐在窗边的工作台上，从早到晚忙碌着。

尽管这位裁缝

能够为四周的居民缝制精美的丝质衣服，但是他自己却非常非常贫穷——这是一位戴着眼镜的小老头儿，面容憔悴，手指苍老弯曲，穿着一身几乎没有针脚的衣服。

他总是能够根据绣花的大小剪裁布料，而且做出来的外套从来都没有任何浪费，于是，剩在工作台上的都是些小布头儿。

"这些布头儿窄得什么都做不成，除了给老鼠做背心。"老裁缝感慨着。

圣诞节期间寒冷无比的一天，老裁缝开始缝制一件外套——樱桃红色的丝绸面料，上面绣满了紫罗兰和玫瑰花；还有一件装饰着乳黄色缎带的背心，上面配有细纱和绿丝绒的绲边——这些都是为格罗斯特的市长缝制的。

老裁缝将那些丝绸量来量去，翻来翻去，将它们剪成各种形状的布片，堆满工作台。

"布料的宽幅根本不够啊，而且还要斜着剪。只能给老鼠做上衣，给老鼠做披肩，给老鼠咯！"格罗斯特的裁缝念叨着。

雪花飘落在裁缝店的玻璃窗上，

天越来越昏暗，老裁缝终于完成了他一天的工作，那些剪裁好的丝绸和软缎全都平铺在工作台上。

外套布片有十二片，背心布片是四片，另外还有口袋、袖口和制作扣子的布片，都按顺序摆放在工作台上。一切都度量合适，尺寸足够，只等明天一早把它们缝在一起就行了。只是还缺少一缕樱桃红色的编织线。

天更黑了，老

裁缝离开店铺，踏着积雪，跌跌撞撞地往家走。由于老裁缝实在太穷了，他只租了一间不大的厨房和他的猫——辛普金住在一起。

老裁缝说："辛普金，我们将来一定会有好运气的，只是我现在太累了。拿上这些银币吧，这是我们最后的四块钱了。你带上一个小瓦罐，去买一块钱面包，一块钱牛奶，一块钱的香肠。哦，最后这一块钱啊，你给我买一缕樱桃

红色的丝线。千万不要把这最后的银币弄丢了。没有编织线，我就无法完成

gōng zuò le
工作了。"

xīn pǔ jīn jiào
辛普金叫

le yī shēng ná zhe
了一声，拿着

yín bì hé xiǎo wǎ guàn
银币和小瓦罐

jiù xiàng hēi xū xū de
就向黑魆魆的

wài miàn zǒu qù
外面走去。

lǎo cái feng shí
老裁缝实

zài tài lèi le tā bìng dǎo le tā zuò zài bì lú páng zì
在太累了，他病倒了。他坐在壁炉旁，自

yán zì yǔ de niàn dao zhe nà jiàn jīng měi de wài tào
言自语地念叨着那件精美的外套。

wǒ jiāng lái huì fā cái de bù liào yào xié zhe
"我将来会发财的……布料要斜着

jiǎn gé luó sī tè de shì zhǎng yào jié hūn le tā dìng zuò
剪……格罗斯特的市长要结婚了，他定做

le yī jiàn wài tào hé yī jiàn xiù huā bèi xīn pèi shàng huáng
了一件外套和一件绣花背心……配上黄

sè zhòu sī de nèi chèn shèng xià de bù tóur hái bù gòu gěi lǎo
色皱丝的内衬。剩下的布头儿还不够给老

shǔ zuò jiàn bèi xīn ne
鼠做件背心呢……"

tū rán tā de sī lù bèi dǎ duàn le yīn wèi chú
突然，他的思路被打断了，因为厨

房另一头的碗柜里传来了一阵微弱的吵闹声——滴答、滴答、滴滴答！

"这是什么声音？"老裁缝说着，从椅子上站了起来。他走过厨房，静悄悄地站在碗柜旁，仔细地听着，透过眼镜看着碗柜。这时，茶杯下也传出一阵奇怪而又微弱的声音——滴答、滴答、滴滴答！

"这简直太奇怪了！"老裁缝一边说着，一边将一只倒扣的茶杯拿起来。

这时茶杯下走出了一只活泼

的母老鼠，向老裁缝毕恭毕敬地行了个礼，然后跳向碗柜，从板墙下逃走了。

老裁缝又回到炉火旁坐下，一边烤着冰凉的双手，一边喃喃自语道："背心是用桃红色的软缎剪裁的，那些玫瑰花蕾是用绣线绣出来的。我把最后的四块钱如此信任地给了辛普金，这样做明智吗？我要用樱桃红色的丝线来缝二十一个扣眼儿啊！"

就在这时，碗柜那边又传来轻微的敲打声——滴答、滴答、滴滴答！

"这简直太奇怪了！"老裁缝说着，又走

到碗柜旁，将另一只倒扣的茶杯翻了起来。

这次茶杯下走出了一只公老鼠，也向老裁缝深深地鞠了一躬。

接着，整个碗柜都传出细微的敲打声，这些声音汇集在一起，彼此呼应，就像被虫子腐蚀的破败的百叶窗上爬着一群小甲虫——滴答、滴答、滴滴答！

茶杯、碗、水盆下面，小老鼠们一只接一只地走了出来，它们跳向碗柜，迅速消失在板墙后面。

老裁缝靠近炉火坐下来，悲伤地自言自语着："二十一个樱桃色的丝扣眼儿，星期六中午一定要完工

啊，现在已经是星期二的晚上了。我让这些老鼠都走了，它们可都是辛普金的猎物啊，这样做对吗？啊，我完了，我再没有编织线了！"

这时小老鼠们又出来了，它们听着老裁缝说话，仔细听着那件精美外套的样子。它们窃窃私语，讨论着丝绸内衬和小老鼠的披肩。

忽然，小老鼠们一哄而散，全都钻到了板墙后面的通道里，"吱吱"叫着一个个传话，从一户人家跑到另一户人家。当辛普金带着一瓦罐牛奶回到家里时，老裁缝家里一只老鼠都没有了。

辛普金打开门，跳进屋，嘴里发出生气的叫声。因为它十分讨厌雪，而现在雪不仅进了它的耳朵，还灌进了脖子后的衣领里。它把面包和香肠放进碗柜里，用力地吸着鼻子。

"辛普金，"老裁缝问道，"我的丝线呢？"辛普金将一瓦罐牛奶放进碗柜里，疑惑地看着茶杯，它想饱餐一顿它的小肥老鼠。"辛普金，"老裁缝又问道，"我的丝线呢？"

可辛普金将一小包东西偷偷放进茶壶，它向老裁缝愤怒地咆哮起来。如果辛普金会说话，它一定要问："我的老鼠呢？"

"啊！我是彻底完了！"老裁缝说着，悲伤地躺到了床上。

整整一个晚上，辛普金仔细搜寻了厨房的每个角落，找遍了整个碗柜和板墙下面，甚至搜索了它藏匿丝线的茶壶，结果却一只老鼠也没找到！

老裁缝发了烧，在那张四根床柱的床上翻来覆去，昏睡中他依然喃喃自语着："没有丝线了！没有丝线了！"

西门街的那间裁缝店里，绣花的丝绸和软缎已经剪裁好了，正整整齐齐地摆放在工作台上——还有那二十一个扣眼儿。裁缝店的窗户关得紧紧的，房

mén yě shàng zhe suǒ shéi néng
门也上着锁，谁能

lái féng hǎo tā men ne
来缝好它们呢？

dàn shì mén chuāng shì dǎng
但是门窗是挡

bù zhù nà xiē zōng sè xiǎo lǎo shǔ
不住那些棕色小老鼠

de zài gé luó sī tè de lǎo
的，在格罗斯特的老

fáng zi li xiǎo lǎo shǔ jìn chū
房子里，小老鼠进出

shì bù yòng yào shi de
是不用钥匙的。

shì chǎng shang rén men zhèng mào zhe dà xuě gòu mǎi é hé
市场上，人们正冒着大雪购买鹅和

huǒ jī hōng kǎo shèng dàn jié xiànr bǐng kě duì xīn pǔ jīn
火鸡，烘烤圣诞节馅儿饼。可对辛普金

hé lǎo cái feng lái shuō méi yǒu shèng dàn jié dà cān kě yán le
和老裁缝来说，没有圣诞节大餐可言了。

lǎo cái feng zài chuáng shang tǎng le sān tiān sān yè xiàn
老裁缝在床上躺了三天三夜，现

zài yǐ shì píng ān yè de shēn yè le yuè liang pá shàng le fáng
在已是平安夜的深夜了。月亮爬上了房

dǐng hé yān cōng yuè guò dà mén fǔ kàn zhe xué yuàn de cāo chǎng
顶和烟囱，越过大门俯瞰着学院的操场。

zhèr de chuāng hu li méi yǒu dēng guāng fáng zi li méi
这儿的窗户里没有灯光，房子里没

yǒu shēng xiǎng gé luó sī tè chéng zài jī xuě zhōng chén chén de shuì
有声响，格罗斯特城在积雪中沉沉地睡

着。辛普金还惦记着它的小老鼠，它站在那张四根柱子的床边喵喵地叫着。

传说从圣诞前夜到圣诞节早上，所有的动物都会开口说话。（尽管很少有人能够听到它们说话，或知道它们在说些什么。）

当天主教堂12点的钟声敲响时，答案就要揭晓了——如同报时的回音，辛普金听见了，它走出老裁缝的家门，在雪地里游荡着。

格罗斯特的屋顶、山形墙和老木屋里都传来节日的欢闹声，歌唱着古老的圣诞曲子，所

有的歌曲我都听过，有些我不太知道，像是惠灵顿的钟声。

第一声也是最大一声公鸡啼鸣——

"嘿，起来喽，烤馅儿饼喽！"

"唉，好家伙！"辛普金叹息着。

这时候，一个小阁楼上灯火通明，里面还传出一阵阵的舞曲，所有的猫都赶来了。

"唉，猫和小提琴！格罗斯特所有的猫——只有我除外。"辛普金说着。

在屋檐下，八哥和麻雀唱着馅儿饼之歌，天主教堂塔顶的寒鸦也醒了。尽管还

是午夜，画眉鸟和知更鸟唱起了歌，空气里充满了叽叽喳喳的曲调。

这一切都让饥饿的辛普金更加愤怒。

辛普金立刻走开了，甩着耳朵，好像有只蜜蜂飞进了它的耳朵。

西门街的裁缝店里透出了微弱的灯光，辛普金蹑手蹑脚地走过去，透过窗口向里望去，里面一片烛光。到处都是剪下来的碎布线头，还有一群小老鼠在快乐地大声歌唱："二十四个小裁缝，抓到

一只小蜗牛，最强壮的小裁缝，不敢碰蜗牛的小尾巴。蜗牛展开触角，像只苏格

lán xiǎo mǔ niú kuài pǎo xiǎo cái feng kuài kuài pǎo bié ràng
兰小母牛，快跑，小裁缝，快快跑！别让

tā bǎ nǐ men dōu dǐng dǎo
它把你们都顶倒！"

dùn le dùn xiǎo lǎo shǔ men yòu jiē zhe chàng dào shāi
　　顿了顿，小老鼠们又接着唱道："筛

zhe nǚ zhǔ rén de yàn mài piàn mò zhe nǚ zhǔ rén de bái miàn fěn
着女主人的燕麦片，磨着女主人的白面粉，

fàng jìn yī kē zhēn guǒ shí ràng tā dāi shàng yī xiǎo shí
放进一颗榛果实，让它待上一小时……"

miāo miāo xīn pǔ jīn dǎ duàn le tā men de gē
　　"喵！喵！"辛普金打断了它们的歌

shēng yòng zhuǎ zi zhuā náo
声，用爪子抓挠

zhe fáng mén kě shì mén
着房门。可是门

yào shi zài lǎo cái feng de zhěn
钥匙在老裁缝的枕

tou xià xīn pǔ jīn jìn bù
头下，辛普金进不

liǎo mén
了门。

xiǎo lǎo shǔ men dà xiào le qǐ lái kāi shǐ chàng lìng yī
　　小老鼠们大笑了起来，开始唱另一

shǒu gē sān zhī lǎo shǔ zuò zhe zhuàn xiǎo māo lù guò wǎng lǐ
首歌："三只老鼠坐着转，小猫路过往里

kàn máng shén me ne xiǎo jiā huo wèi shēn shì men zuò yī
看，忙什么呢，小家伙？为绅士们做衣

shān wǒ néng fǒu jìn lái bāng nǐ men yǎo duàn xiàn ò māo
衫。我能否进来帮你们咬断线？哦，猫

小姐，你会咬断我们的头！"

"喵！"辛普金叫着。小老鼠们回应道："嘿，歌儿好不好，可怜的宠物猫？

伦敦的商人穿红衣，丝绸领口，金褶边儿，配着商人正正好。"

小老鼠们敲着顶针打着节奏，可是没有一首歌能让辛普金高兴得起来。辛普金喘息着，对着店门喵喵直叫。

"我来买一个皮普金一个胖普金，一个斯利普金一个斯老普金，只用了一块小

银币——就在厨房的碗柜上。"

粗鲁的小老鼠们添油加醋地唱道。

"喵！哗！哗！"窗台上的辛普金抓狂着，屋里的小老鼠们却跳了起来，开始一同发出叽叽喳喳的叫喊声："没有丝线喽！没有丝线喽！"

小老鼠们关上百叶窗，将辛普金关在了外面。不过透过百叶窗的缝隙，辛普金仍然能够听到小老鼠们敲打着顶针，用尖细的声音唱着："没有丝线喽！没有丝线喽！"

辛普金离开裁缝店，心事重重地走回了家。它发现可怜的老裁缝已经退烧了，正安详地睡着。辛普金踮着脚走到碗柜旁，从茶壶里取出一小包丝线。和这些好心的小老鼠比起来，自己实在太坏了，真令人羞愧。

清晨，老裁缝醒来的时候，他在棉被上看到的第一件东西就是一团樱桃红色的丝线，还有正在忏悔的辛普金。

"啊，我虽然陷入了很大的麻烦，"老裁缝说道，"可是我终于有丝线了！"

老裁缝起床穿好衣服，阳光照耀在白雪上。老裁缝走出家门，来到大街上，辛普金在他身前跑着。

八哥在烟囱上鸣叫着，画眉和知更鸟仍在歌唱。不过它们唱着各自的歌曲，已经不同于夜晚的歌词了。

"唉，"老裁缝感慨着，"我虽然有了丝线，但却没有力气和时间了。我最多只能缝一个扣眼儿，现在已经是圣诞节的清晨了。市长中午就要结婚了，那件樱桃红的外套该怎么办啊？"

老裁缝打开裁缝店的房门，但是房子里一个人也没有。就连一只小老鼠

都没有。店铺的木板被清扫得干干净净，那些小线头和碎布片也都被收拾得整整齐齐。

"天哪！"老裁缝惊喜地叫着。在他原来摆放丝绸布片的地方，此刻出现了一件外套和一件绣花的软缎背心，那将是市长穿过的最漂亮的衣服！

外套前面绣着玫瑰花和紫罗兰，背心前面绣着车菊和罂粟花。除了樱桃红

的扣眼儿，所有工作都完成了。在那个扣

眼儿旁，用别针别着一张小纸条，上面

用细小的笔迹写着：丝线没有了。

从此，好运降临到格罗斯特的老裁

缝身上，他变得越来越健壮，越来越富

有。从来没有人见过如此华丽的褶边、绣

花袖口和衣穗儿。不过他的扣眼儿可是精致

中的精致。

真奇怪，一位戴着眼镜的老人，用那

苍老变形的手指套着粗重的顶针，是怎么

缝出如此精细的针脚的呢？

这些扣眼儿的手工如此之小，看上去

就好像是出自小老鼠之手呢！

xiǎo tù zi běn jié míng de gù shi
小兔子本杰明的故事

一天清晨，一只小兔正坐在河岸上。他竖起耳朵，听到一阵哒哒哒哒的马蹄声。

一辆双轮马车沿着大路驶过来，赶车的是麦格雷戈先生，旁边坐着他的夫人。

马车一驶过，小兔子本杰明便滑到了大路上，一蹦一跳地去找他住在麦格雷戈先生的花园背后林子里的亲戚去了。

树林中到处都是兔子洞，其中最整洁、沙子最多的洞里住着本杰明的姨妈和他的表亲们——弗洛浦西、莫浦西、棉球尾巴和彼得。

老兔夫人是个寡妇，她靠编织兔毛手套和暖手套为生。她还卖草药、迷迭香茶和兔子烟草（我们叫它薰衣草）。

小本杰明其实并不太愿意看到他的姨妈。

他绕到了大松树后面，几乎撞上了彼得表弟的头。

彼得正独自坐着，看上去心情很糟，身上裹着一件红色的棉披肩。"彼得，"小本杰明悄声问道，"谁拿走了你的衣服？"

彼得回答道："都是麦格雷戈先生菜园里的那个稻草人呗。"

于是他讲述了自己在菜园里一路被追赶，丢了鞋子和外套的经过。本杰明挨着表弟坐下来，胸有成竹地告诉表弟，麦格雷戈先生已经和夫人乘坐双轮马车出门了。

这时候，老兔夫人的声音从兔子洞里传来："棉球尾巴！要多带些甘菊回来！"

彼得说要是能出去

走走，心情或许会好些。

yú shì tā men lí kāi tù
于是他们离开兔

zi dòng lái dào shù lín shēn chù
子洞，来到树林深处

de wéi qiáng shang cóng zhè lǐ tā
的围墙上。从这里他

men kě yǐ fǔ kàn mài gé léi gē
们可以俯瞰麦格雷戈

xiān sheng de cài yuán bǐ dé de
先生的菜园。彼得的

wài tào hé xié zi jiù zài dào cǎo
外套和鞋子就在稻草

rén shēn shang tā de tóu dǐng hái dài zhe mài gé léi gē xiān sheng
人身上，它的头顶还戴着麦格雷戈先生

de pò cǎo mào
的破草帽。

běn jié míng shuō zuì hǎo de
本杰明说："最好的

bàn fǎ shì shùn zhe lí shù pá xià qù
办法是顺着梨树爬下去。"

bǐ dé dì yī gè dào zāi cōng shuāi xià le
彼得第一个倒栽葱摔下了

wéi qiáng xìng hǎo qiáng xià de miáo pǔ
围墙，幸好墙下的苗圃

gāng gāng lí guò shí fēn sōng ruǎn
刚刚犁过，十分松软。

nà lǐ yǐ jīng kāi shǐ bō zhòng wō
那里已经开始播种莴

jù le
苣了。

他们在苗圃里留
下了一堆古怪的小脚
印，尤其是本杰明，
因为他碰巧穿了
一双木屐。本杰明
说应该把衣服拿回来，
以防披肩会另做他用。

他们脱下稻草人身上
的衣服。因为前一天晚上
下过雨，鞋子里
还有水，衣服也
缩水了。

本杰明试了
试草帽，可是实
在太大了。

随后本杰明建议应该将披肩装满洋葱，作为送给姨妈的礼物。

可是彼得看上去并不是很开心，他一直警惕地倾听着周围的动静。

本杰明则截然相反，他就像在自己家里一样舒适，还吃了一片莴苣叶。本杰明说他已经习惯了跟爸爸来到菜园，摘一些莴苣叶作为星期天的晚餐。

莴苣的味道的确不错。

bǐ dé shén me dōu méi chī
彼得什么都没吃，

tā shuō tā xiǎng huí jiā le   bù
他说他想回家了。不

yī huìr   bǐ dé pī jiān li de
一会儿，彼得披肩里的

yángcōng jiù diū diào le yī bàn
洋葱就丢掉了一半。

běn jié míng shuō   tā men dài zhe yī dà bāo shū cài
本杰明说，他们带着一大包蔬菜，

bù kě néng zài pá lí shù huí qù le   tā dài zhe bǐ dé dà dǎn
不可能再爬梨树回去了。他带着彼得大胆

de zǒu xiàng cài yuán de lìng yī tóu   yáng guāng zhào yào zhe hóng sè
地走向菜园的另一头。阳光照耀着红色

de zhuānqiáng   tā men yán zhe xiǎo mù bǎn lù yī zhí zǒu zhe
的砖墙，他们沿着小木板路一直走着。

yī qún xiǎo lǎo shǔ zhèng zuò
一群小老鼠正坐

zài jiā mén kǒu de tái jiē shang
在家门口的台阶上，

qiāo yīng tao húr   chī   tā men zhǎ
敲樱桃核儿吃。它们眨

ba zhe yǎn jing   kàn zhe bǐ dé
巴着眼睛，看着彼得

hé běn jié míng
和本杰明。

zhè shí bǐ dé de hóng
这时彼得的红

sè pī jiān sōng le yáng cōng
色披肩松了，洋葱

yòu diào le jǐ gè
又掉了几个。

tā men jīng guò yī duī huā pén   mù jià hé yù gāng   bǐ
他们经过一堆花盆、木架和浴缸。彼

dé tīng dào le yī zhǒng yǒu shǐ yǐ lái zuì kě pà de shēng yīn
得听到了一种有史以来最可怕的声音，

tā de yǎn jing dèng de xiàng bàng bàng táng nà me dà
他的眼睛瞪得像棒棒糖那么大！

bǐ dé zài biǎo gē
彼得在表哥

qián miàn yī liǎng bù yuǎn de
前面一两步远的

dì fang tíng le xià lái
地方停了下来。

这就是小兔子们在拐角处看到的东西！

本杰明只看了一眼，然后就在一分钟不到的时间里，迅速带着彼得和洋葱藏进了一个大筐下面。

这只猫站起身来伸伸懒腰，然后走向大筐，嗅啊嗅。

或许是猫喜欢洋葱味儿。不管是什么原因，猫一屁股在大筐上坐了下来，一坐就是五个小时。

我不能向你描述彼得和本杰明在大筐下的情形，因为那儿实在是太黑了，而且因为洋葱的气味儿太浓烈，他们一直在流眼泪。

太阳渐渐落到了树林后面，天色已晚，可这只猫却依然坐在大筐上。

最后，传来一阵噼里啪啦的声音，从围墙上掉落下一些碎泥灰。

猫抬头一看，原来是老本杰明正沿着墙头儿昂首阔步地走过来。

他嘴里叼着兔子烟斗，手里拿着一根小鞭子，正在寻找自己的儿子。

lǎo tù xiān sheng kě bù pà
老兔先生可不怕

shén me māo
什么猫。

tā cóng qiáng tóur zòng
他从墙头儿纵

shēn yī yuè zhèng hǎo tiào dào
身一跃，正好跳到

māo de shēn shang rán hòu yī
猫的身上，然后一

zhǎng jiāng māo gǎn xià le dà kuāng
掌将猫赶下了大筐，

yòu yī jiǎo jiāng māo tī jìn le wēn shì hái zhuā xià le yī bǎ
又一脚将猫踢进了温室，还抓下了一把

māo máo zhè zhī māo jīng xià de dōu wàng jì huán jī le
猫毛。这只猫惊吓得都忘记还击了。

lǎo tù xiān sheng jiāng māo gǎn jìn wēn shì hòu suí shǒu suǒ shàng
老兔先生将猫赶进温室后随手锁上

le mén tā zǒu huí dà kuāng jiū
了门。他走回大筐，揪

zhe ér zi de ěr duo bìng jǔ qǐ
着儿子的耳朵，并举起

xiǎo biān zi chōu dǎ qǐ lái
小鞭子抽打起来。

rán hòu lǎo tù xiān sheng bǎ
然后，老兔先生把

wài sheng bǐ dé yě zhuā le chū lái
外甥彼得也抓了出来。

接着，老兔先生拿出披肩包裹的洋葱，走出了菜园。

大约半个小时以后，麦格雷戈先生返回了家中。

看起来好像有人在自己外出的时候走遍了整个菜园，其中还有人穿了双木屐，只是这些脚印奇小无比。另外，麦格雷戈先生怎么也想不明白，那只猫是怎么把自己关进温室，还从外面上了锁的。

彼得回到家，他妈妈原谅了他，因为她很高兴看到彼得找回了自己的鞋子和外套。棉球尾巴帮彼得把披肩叠好，而老兔夫人则将那些洋葱用线穿起来，将它们和那些草药、兔子烟草一起挂在了厨房的天花板上。

两只顽皮老鼠的故事

liǎng zhī wán pí lǎo shǔ de gù shi

从前有一个非常
cóng qián yǒu yī gè fēi cháng

美丽的娃娃屋：红红的
měi lì de wá wa wū hóng hóng de

砖墙嵌着白色的窗子，
zhuān qiáng qiàn zhe bái sè de chuāng zi

还有细棉布的窗帘，一
hái yǒu xì mián bù de chuāng lián yī

扇大门和一个烟囱。
shàn dà mén hé yī gè yān cōng

这个屋子属于两个小娃娃，她们一
zhè ge wū zi shǔ yú liǎng gè xiǎo wá wa tā men yī

个叫露辛达，一个叫简。露辛达是这个屋
gè jiào lù xīn dá yī gè jiào jiǎn lù xīn dá shì zhè ge wū

子的主人，她从来都不
zi de zhǔ rén tā cóng lái dōu bù

做饭。简是小屋里的厨
zuò fàn jiǎn shì xiǎo wū li de chú

师，可她也从来不做饭，
shī kě tā yě cóng lái bù zuò fàn

晚餐都是买来的半成品。
wǎn cān dōu shì mǎi lái de bàn chéng pǐn

cān tīng de zhuō zi shang fàng
餐厅的桌子上放
zhe liǎng zhī lóng xiā　　yī zhī huǒ tuǐ
着两只龙虾、一只火腿、
yī tiáo yú　　yī gè bù dīng　　hái yǒu
一条鱼、一个布丁，还有
yī xiē lí hé jú zi　　　tā men hé
一些梨和橘子。它们和
pán zi shì lián zài yī qǐ de　　kàn shàng qù jí qí piào liang
盘子是连在一起的，看上去极其漂亮。

　　yī tiān zǎo chen　　lù xīn dá hé jiǎn zuò zhe yī liàng wán
　　一天早晨，露辛达和简坐着一辆玩
jù chē chū qù dōu fēng le　　yòu ér shì li kōng wú yī rén　　fēi
具车出去兜风了。幼儿室里空无一人，非
cháng ān jìng　　bù jiǔ　　wū li yǒu le yī xiē xiǎo xiǎo de sāo
常安静。不久，屋里有了一些小小的骚
dòng　　cóng kào jìn bì lú de qiáng jiǎo chuán lái pī pī pā pā de shēng
动，从靠近壁炉的墙角传来噼噼啪啪的声
yīn　　nà lǐ de bì jiǎo bǎn xià yǒu
音，那里的壁脚板下有
yī gè xiǎo dòng
一个小洞。

　　tāng mǔ sāng mǔ xiǎo xīn
　　汤姆桑姆小心
de tàn chū le nǎo dai　　rán hòu
地探出了脑袋，然后
yòu bǎ tóu suō le huí qù　　tāng
又把头缩了回去。汤
mǔ sāng mǔ shì yī zhī lǎo shǔ
姆桑姆是一只老鼠。

一分钟之后，亨卡蒙卡——汤姆桑姆的妻子，也把脑袋探了出来。当她看见幼儿室里已经没有人在了，就大胆地从洞里走了出来，站在装煤的箱子后面的油毡上。

娃娃屋就立在壁炉的对面。汤姆桑姆和亨卡蒙卡谨慎地穿过壁炉前的地毯，来到小屋的门前，门并没有关严。

汤姆桑姆和亨卡蒙卡爬上了楼梯，向餐厅窥望。然后，他们发出了快乐的尖叫。

桌子上放着多么丰盛的晚餐啊！

汤姆桑姆立刻坐下来开始切一只火腿。它的表皮油光光的，还带着红色的条纹。

没想到小刀卷了起来，弄伤了汤姆桑姆。"煮得还不够，太硬了。你来试试看，亨卡蒙卡。"

hēng kǎ méng kǎ zhàn zài
亨卡蒙卡站在

yǐ zi shang yòng lìng yī bǎ
椅子上，用另一把

qiān zhì de xiǎo dāo shǐ jìn duò zhe
铅制的小刀使劲剁着

nà zhī huǒ tuǐ
那只火腿。

zhè jiǎn zhí xiàng gān
"这简直像干

lào diàn li de huǒ tuǐ yī yàng
酪店里的火腿一样

yìng hēng kǎ méng kǎ shuō dào
硬。"亨卡蒙卡说道。

huǒ tuǐ bèi měng de lā
火腿被猛地拉

le yī xià lí kāi le pán
了一下，离开了盘

zi gǔn xià le cān zhuō
子，滚下了餐桌。

bù guǎn tā le
"不管它了，"

tāng mǔ sāng mǔ shuō dào gěi
汤姆桑姆说道，"给

wǒ lái diǎnr yú hēng kǎ
我来点儿鱼，亨卡

méng kǎ
蒙卡。"

hēng kǎ méng kǎ jiāng měi yī bǎ tāng sháo dōu shì yòng le yī
亨卡蒙卡将每一把汤勺都试用了一
cì kě shì yú hái shi jǐn jǐn zhān zài pán zi shang
次，可是鱼还是紧紧粘在盘子上。

tāng mǔ sāng mǔ fā qǐ le pí qi tā bǎ huǒ tuǐ fàng zài
汤姆桑姆发起了脾气。他把火腿放在
dì bǎn zhōng yāng jǔ qǐ chǎn zi hé qián zi bāng bāng
地板中央，举起铲子和钳子——啪、啪、
bāng dǎ le gè fěn suì
啪，打了个粉碎！

huǒ tuǐ biàn chéng le xǔ duō suì piàn zài xiān liàng de yóu
火腿变成了许多碎片，在鲜亮的油
cǎi dǐ xia shén me yě méi yǒu zhǐ yǒu yī duī shí gāo fěn
彩底下，什么也没有，只有一堆石膏粉。

汤姆桑姆和亨卡蒙卡又失望又生气，于是他们又打碎了布丁、龙虾、梨和橘子。

因为鱼没法儿从盘子上取下来，他们就把它丢进了厨房里用红色皱纸做成的火堆上，不过它当然没有烧起来。

汤姆桑姆从烟囱顶上望出去，这儿没有一点儿煤灰。当汤姆桑姆待在烟囱上时，亨卡蒙卡正为另一件事垂头丧气。

她在碗柜上找到了一些小小的罐子，上面的标签写着：大米、咖啡、西米……可当

她把罐子倒过来的时候，里面除了红色和蓝色的小珠子，什么也没有。

然后两只老鼠便开始竭尽所能地搞破坏，特别是汤姆桑姆。他从卧室的衣柜

抽屉里拽出简的衣服，把它们从顶楼的窗户往外扔。

而亨卡蒙卡却有节俭的好习惯，在她从枕头里拉出了一半羽毛后，她记起自己曾经想要一个羽毛床垫。

在汤姆桑姆的帮助下，她将枕头拖下了楼梯，穿过壁炉前的地毯，将枕头塞进小小的老鼠洞。

亨卡蒙卡很快又折回来，拿走了一把椅子、一个书架、一只鸟笼，还有一些零碎的小玩意儿。可书架和鸟笼却被挡在了洞外。

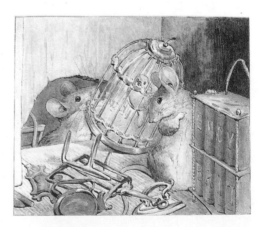

hēng kǎ méng kǎ
亨卡蒙卡

jiāng shū jià hé niǎo lǒng diū
将书架和鸟笼丢

zài méi xiāng hòu miàn rán
在煤箱后面，然

hòu yòu fǎn huí qù tuō yīng
后又返回去拖婴

ér yáo lán
儿摇篮。

dāng hēng kǎ méng kǎ
当亨卡蒙卡

zhèng zài tuō lìng yī bǎ yǐ
正在拖另一把椅

zi de shí hou hū rán
子的时候，忽然

cóng wū wài chuán lái le yī
从屋外传来了一

zhèn shuō huà shēng xiǎo lǎo
阵说话声。小老

shǔ men gǎn jǐn pǎo xiàng zì
鼠们赶紧跑向自

jǐ de dòng kǒu zhè shí
己的洞口，这时

wá wa men yǐ jīng zǒu jìn le
娃娃们已经走进了

yòu ér shì
幼儿室。

简和露辛达看到的是一个怎样的场景啊!

露辛达跌坐在厨房里被掀翻了的炉灶上,瞪大眼睛;而简则斜靠着厨房的碗柜,苦笑着。

不过,她俩一句话也没有说。

书架和鸟笼终于从煤箱后面被抢救了出来。可亨卡蒙卡却拖走了摇篮车,还有露辛达的一些衣服。

tā hái dé dào le yī xiē yǒu yòng de guàn zi hé guō
她还得到了一些有用的罐子和锅，

hái yǒu qí tā yī xiē xiǎo wán yìr
还有其他一些小玩意儿。

wá wa wū de
娃娃屋的

nǚ zhǔ rén shuō wǒ
女主人说："我

yào zài zhè lǐ fàng yī
要在这里放一

gè chuān jǐng fú de wán
个穿警服的玩

ǒu
偶。"

kě shì jiǎn què
可是简却

shuō   wǒ yào zài zhè
说："我要在这

lǐ fàng yī gè lǎo shǔ
里放一个老鼠

jiā zi
夹子。"

zhè jiù shì liǎng zhī wán pí lǎo shǔ de gù shi   dàn shì tā
这就是两只顽皮老鼠的故事。但是他

men yě bù shì shí fēn de táo qì   yīn wèi tāng mǔ sāng mǔ hòu lái
们也不是十分的淘气，因为汤姆桑姆后来

wèi tā suǒ zào chéng de yī qiè sǔn shī zuò le bǔ cháng
为他所造成的一切损失做了补偿。

tā zài bì lú qián de dì tǎn shang zhǎo dào le yī méi liù
他在壁炉前的地毯上找到了一枚六

biàn shì de yìng bì   zài
便士的硬币，在

shèng dàn jié qián yè
圣诞节前夜，

tā hé hēng kǎ méng kǎ
他和亨卡蒙卡

jiāng nà méi yìng bì sāi
将那枚硬币塞

jìn le lù xīn dá hé jiǎn
进了露辛达和简

de cháng tǒng wà li
的长筒袜里。

另外，在一大清早——当所有人都还没醒的时候，亨卡蒙卡拿着她的小簸箕和小笤帚悄悄地来到娃娃屋，将屋子彻底地打扫了一遍。

提吉·温克夫人的故事

很久以前，有个叫露西的小女孩住在一个名叫"小镇"的农场里。露西长得既漂亮又可爱，只是，她总是粗心大意地弄丢自己的手绢。

一天，露西一边哭，一边走进农场的院子。"我的手绢不见了！三块小手绢，还有一件小围裙。小猫泰比，你有没有看见啊？"小猫依旧舔着他雪白的爪子。

露西只好又去问花斑母鸡："萨利·汉妮·彭妮，你看到我的三块小手绢了吗？"可是花斑母鸡却跑进了鸡舍。

接着，露西又去问树枝上的知更鸟考克。考克用他那亮晶晶的黑眼睛瞥了一眼露西，然后张开翅膀飞走了。

露西爬到了篱笆墙边的台阶上，眺望着农场后面的山岗。

通向山岗的方向有一条大路，在远远的草地上铺着一些白色的东西。

露西欢快地向山上跑去。她沿着陡峭的山路越跑越高，直到把整个"小镇"都踩在了脚下，甚至可以将一块小石子儿扔进农场的烟囱里。

这时，露西看到了一眼山泉，正汩汩地往外冒着泡。有人在旁边的大石头上放了一只锡罐接水，不过水已经溢出来了，因为这只罐子还没有一个蛋盅大呢！小路上的沙子湿湿的，上面还有一些非常小的脚印。

小路的尽头是一块巨大的石头。这里的茅草看起来并不高，却是绿油油的，草地上支着几根用蕨树枝做的晾衣架。衣架上是用灯芯草编成的晾衣绳，绳子上还挂着很多小衣夹，可是没有小手绢。

不过，这里有一扇门。它直通山内，而且里面还有人唱歌："像百合花一样洁白哦！小小皱褶算什么，熨斗红红一划过哦，它们全都消失了。"

露西敲了敲那扇门——一下两下，歌声停止了，里面传来一个有点儿战战兢兢的声音："谁呀？"

露西推开门。你猜她看到了什么？

原来这是一间非常干净的厨房，地面上铺着石板，屋顶架着木梁，看起来跟牧场的厨房一模一样。只是这间厨房的天花板太低了，露西的头都快顶到房顶了。还有，这里的炊具也是那么的小，这里的每一样东西都是那么的小。

山洞里弥漫着热腾腾的焦煳味儿。在餐桌旁，站着一个健壮、矮小的胖妇人，她拿着一只熨斗，正焦虑不安地看着露西。

她身上的印花长袍向上卷着，条纹衬裙外边系着一条超大的围裙。此时她那小小的黑鼻子正不断地发出哼哼声，而她那对小眼睛一眨一眨，闪闪发亮。她的帽檐下——露西拥有金色鬈发的地方，这位小人儿却拥有一堆尖刺！"你是谁呀？"露西问，"你看见我的小手绢了吗？"

矮胖妇人晃着身子，行了一个屈膝礼："你好！我是提吉·温克夫人，我是一名出色的浆衣工人。"然后，她从装衣服的篮子里取出了一件衣服，把它铺在熨衣毯上。

"这是什么东西？"露西问，"这不是我的手绢吗？""哦，不，亲爱的，这是知更鸟考克的小红背心。"

提吉·温克夫人将小红背心熨平，然后叠好放在了一边。

随后，她又从晾衣架上取下了一些衣服。"这个不是我的围裙吗？"露西说道。

"哦，不好意思，这是詹妮·瑞恩的桌布。你看葡萄酒把它弄得多脏啊！这些污迹真是太难洗了！"提吉·温克夫人说。

提吉·温克夫人的鼻子还在不停地发出哼哼声，她的眼睛忽闪忽闪的。最后，她从火炉中又取来一只热熨斗。

"这是我的一块手绢！"露西惊叫起来，"还有我的围裙！"

提吉·温克夫人熨着露西的手绢和围裙，皱褶一扫而光。"哦，这真是太可爱了！"露西惊叹着。

"那长长的像手套的手指一样的黄东西是什么呢？"

"哦，那是萨利·汉妮·彭妮的长筒袜。你瞧，她总是在院子里乱抓乱刨，袜子的后跟磨得多厉害！用不了多久，她就得光着脚走路了！"提吉·温克夫人说。

"啊，这儿又有一块手绢——不过，这个不是我的，它是红色的。"

"哦，亲爱的，这个不是你的，它是老兔夫人的，上面还有一股洋葱味儿。虽然我把它单独清洗了，可那股洋葱味儿就是洗不掉。"

"那是我的另一块手绢！"露西叫道。"这是小猫泰比的一副连指手套，我只负责把它们熨平，手套是小猫自己洗的。"

"这是我丢的最后一块手绢！"露西又大叫起来。

"你现在往洗衣盆里扔的是什么东西呀？"

"这是山雀汤姆衬衫的前襟——世界上最难洗的东西！"提吉·温克夫人说，"现在，所有的东西都熨完了，我要把它们晾出去。"

"那些软乎乎、毛茸茸的是什么?"露西又问道。

"哦,那是小羊斯科列尔的羊毛外套。"

"他们会将自己的上衣脱下来吗?"露西好奇地问道。

"哦,是的,是这样的。你看,外套的肩部还有绵羊的标记。这件有'盖特斯加斯'的标记,另外那三件是从小镇农场送来的。在清洗的时候,我会给它们做一个记号。"提吉·温克夫人答道。

提吉·温克夫人把各种类型和号码的衣服都挂了起来。这里有小老鼠的棕色外套，像天鹅绒一样柔软的鼹鼠的黑色皮背心，有小松鼠纳特金的一件没有后摆的红色燕尾服，小兔子彼得的一件缩了水的蓝色夹克。另外还有一件没有标记的衬裙，因为记号在浆洗的时候洗掉了。终于，所有的衣服都挂了起来，衣篮里空空如也了。

提吉·温克夫人沏好了茶，一杯给自己，一杯给露西。她们俩侧身坐在炉火前的长椅上，面对着对方。提吉·温克夫人端着茶杯的手颜色很深，是特别深的棕色，因为长期浸泡在肥皂水中，上面长满了皱纹。另外她的头发似乎很不听话，它们总是戳破长袍和帽子露到外面来，这让露西不太想坐得离她太近。

喝完茶后，她们将熨好的衣服装到了包裹里。露西的手绢也都叠好了，放在她那件干干净净的围裙里，并且还用一枚银别针别得好好的。

她们用泥炭盖好炉火，然后走出山洞，锁上了大门。提吉·温克夫人将门钥匙藏在门槛下。这之后，她们两个提着装衣服的包裹，一路小跑下了山岗。

一路上，小动物们从树丛里蹿出来迎接她们，她们首先遇到了彼得和本杰明。

提吉·温克夫人将洗得干干净净的衣服还给了它们的主人，小动物们都很感激提吉·温克夫人。

于是，当她们到达山脚，来到篱笆墙旁边的台阶前时，除了露西的小包裹，她们的手里已经是空空的了。

露西拿着她的小包裹爬上了台阶。当她正要转身向提吉·温克夫人道一声"晚安",并向这位浆衣工人表

示感谢的时候,一件不可思议的事情发生了。提吉·温克夫人并没有等露西向她表示感谢,也没有等她付洗衣服的工钱就走了!

她跑呀跑呀,一直朝山上跑去。她那镶着花边的白帽子跑到哪儿去了?还有她的披肩呢?她的长袍和衬裙都跑到哪里去了?

她的体积多小啊，棕色的皮肤多黑啊，而且全身都长满了尖刺。

哦！原来提吉·温克夫人是一只小刺猬啊！

（现在有人说小露西只是在篱笆墙旁边的台阶上睡着了。可是，她是怎么找回三块干净的手绢和一件围裙，而且上面还别着一根银别针的呢？

另外，我也曾见过通往山后的那扇门，它被称为"猫铃铛"。还有啊，那位亲爱的提吉·温克夫人，我其实和她熟得很呢！）

馅儿饼和馅儿饼盘的故事

很久以前，有一只叫蕊碧的小猫，打算请一只叫黛丝的小狗来家里做客。

"亲爱的黛丝，你快来吧，"蕊碧在信中写道，"我们将一起品尝那些可口的美食。我要用一个镶着粉边儿的馅儿饼盘来烹制美味的馅儿饼，我保证你以前绝对没吃过这么好吃的馅儿饼。我可以把整块馅儿饼都给你吃，我就只吃松子蛋糕。"

黛丝读了信并且回复道："我会去你家做客的。不

过我也正要邀请你来我家吃晚餐，亲爱的蕊碧，那也一样是最可口的美味。"

"我会准时赴约的，亲爱的蕊碧，"黛丝继续写道，并在信的末尾又加了一句，"希望招待我的不是老鼠肉馅儿饼。"

可是她又觉得这样写有些不太礼貌，于是她把"不会是老鼠肉馅儿饼"画掉了，改成"希望招待我的馅儿饼非常美味"。之后，她将回信交给了邮差。

不过，黛丝还是很担心，不停地念叨着："我真的没办法吃老鼠肉馅儿饼，可是我又不能不吃，那毕竟是做客呀！我只吃放牛肉和火腿的馅儿饼。哦，镶粉边儿的白色馅儿饼盘！我也有这样的盘子，和蕊碧的一模一样。"

黛丝走进了自己的储藏室，从搁架上取下一盘馅儿饼看着。

"馅儿饼已经好了，就差放进烤箱里了。馅儿饼皮多么精致呀，现在只需要将它放进锡制的馅儿饼盘里。当然，中间最好再戳个小洞，让蒸汽跑出来。天啊，我多想吃自己烤的馅儿饼啊，我不想吃老鼠肉馅儿饼！"

黛丝想来

想去，把蕊碧的信又读了一遍：

"那可是一个镶着粉边儿的馅儿饼盘……我可以把整个馅儿饼都给你吃，这里的'你'当然就是指我了。那么，蕊碧一口都不会尝咯？一个带粉色镶边儿的馅儿饼盘。要知道，蕊碧一定会出去买松子蛋糕的……哦，多么完美的主意！我为什么不快点儿过去，趁蕊碧出门的时候，把我的馅儿饼放进她的烤箱呢？"

黛丝觉得自己真是太聪明了，这让她感到十分得意。

此时，蕊碧已经收到黛丝的回信了。当她得知黛丝同意来做客的时候，便将

她的馅儿饼放进了烤箱。

蕊碧的烤箱共有上下两层。另外，烤箱上有不少按钮和把手，不过它们多是装饰品，并不是烤箱的开关。蕊碧将馅儿饼放进了下面一层的烤箱，而这层烤箱的门总是关得紧紧的。

"上层烤箱烤东西总是太快了，"蕊碧自言自语着，"这个馅儿饼是用最嫩的老鼠肉和熏肉做成的。而且这次我把所有的骨头都剔出来了，因为上次请黛丝吃饭的时候，她差一点儿被鱼刺卡坏了

嗓子。不过，这是一只最有教养、最高贵

的小狗，要比表妹强多了。"

蕊碧往炉子里添了一些煤，并将壁

炉清理干净。然后，她提着水罐儿去井边

打水，并将小水罐儿装满。

接着，她开始整理房间。她把坐垫儿

拿到前门外，把上面的尘土拍掉，然后

将它们整整齐齐地摆好。接着又把壁炉

旁的兔皮地毯清理了一下，将挂钟和壁

炉饰物上的灰尘掸掉，再把桌子椅子都

擦得一尘不染。

接着，她在

餐桌上铺了一

条十分干净的白

色桌布，又把她

最好的陶瓷茶具从壁炉旁的碗柜中取出来摆在餐桌上。她的茶杯是白色的，上面还有粉红色的玫瑰花，餐盘则是蓝白相间的。

布置好餐桌，蕊碧便带着一只牛奶壶和一个蓝白相间的盘子，到田野那边去拿牛奶和黄油。

从农场回来后，蕊碧把底层烤箱打开了一条缝儿，里面的馅儿饼看上去真是诱人。

她披上披巾戴好帽子，提起一只篮子走了。她要到村子里的商店去买一包茶叶、一斤方糖和一罐果酱。

这时候，黛丝也刚走出家门，她家住在村子的另一头。

半路上，蕊碧遇到了黛丝，她看到黛丝的手里也提着一只篮子，上面还盖着一块布。不过她们只是打了个招呼，什么也没说，因为很快她们就会聚在一起吃饭的。

走到街道转角的地方，黛丝想蕊碧肯定看不见她了，掉头就朝蕊碧家跑去。

蕊碧在商店里买了她需要的东西，还在这儿和塔比瑟·特维切特表妹愉快地谈了一会儿。

塔比瑟表妹有点儿轻蔑地说："真

的要请一只狗啊！看来在梭利已经没有
猫了！"

　　离开商店后，蕊碧又在第莫希的面
包房里买了一些松子蛋糕才回家。

　　当蕊碧走进家门的时候，她好像听
到后门的过道里传来一阵嘈杂声。

　　"我想不会是烤馅儿饼的声音。可
是，汤匙也都锁了起来啊！"

　　房间里并没有人。蕊碧费了好大劲儿，
才打开底层烤箱的门，她把馅儿饼翻了个
个儿，这时馅儿饼已经开始散发出烤老鼠
肉的香味儿了。

　　此时，黛丝已经从后门溜走了。

　　"真是奇怪，我把我的馅儿饼放进烤
箱的时候，并没有看到蕊碧的馅儿饼啊！

她的馅儿饼到底放在哪儿了呢？我把馅儿饼放进了上层烤箱，那里的温度还不错，而烤箱上的其他把手根本打不开，我猜，那些把手全都是些装饰物。"黛丝喃喃自语，"可是我多希望能找到那只老鼠肉馅儿饼啊！要不是蕊碧回来了，我才不会就这么从后门跑走了呢！"

黛丝回到家，把她那身漂亮的黑外套刷了刷，然后在她的花园里剪了一束鲜花，打算将这个作为礼物送给蕊碧，直到下午四点才准备妥当。

蕊碧呢——她搜遍整个房子，确信碗柜和储藏室里没有人，才

上楼换衣服。

她换的是淡紫色的丝绸连衣裙，还围上了绣着花的细棉布围裙和披巾。

"真是奇怪，"蕊碧说着，"我想我不会忘记把抽屉放回去呀，难道有人用过我的手套？"

她又来到楼下，沏好茶，将茶壶放在炉架上。然后又将底层烤箱打开了一条缝儿，只见里面的馅儿饼冒着热气，已经变成了诱人的棕色。

蕊碧坐在炉火前，等待黛丝的到来。

"我很高兴馅儿饼是用底层烤箱烤的，"蕊碧心想，"上层烤箱火太急了。

不过奇怪，碗柜的门怎么是开着的？难道真的有人来过？"

下午四点整，黛丝走出了家门，赶往蕊碧家赴宴。

"真不知道，蕊碧到底有没有把我的馅儿饼拿出烤箱呢？"黛丝心想，"那个老鼠肉馅儿饼到底放在哪儿了呢？"

四点一刻，传来一阵非常礼貌的敲门声。"请问蕊碧夫人在家吗？"黛丝站在门外问。

"请进！我亲爱的黛丝，你好吗？"蕊碧大声问候道，"希望你一切都好！"

"我很好，谢谢你！"黛丝接着说，

"我给你带来了一束鲜花。哦，那是诱人的馅儿饼味道啊！"

"哦，鲜花真可爱啊！是啊，那是老鼠肉和熏肉馅儿饼的香味儿。""白色桌布可真可爱呀！

馅儿饼烤得怎么样了？它还在烤箱里吗？"黛丝问。

"我想还要差不多五分钟吧，"蕊碧说，"很快的。我给你倒杯茶，咱们可以一边喝茶，一边等。你要加糖吗，黛丝？"

"哦，好的，谢谢！我可以把方糖放在鼻子上吗？"

"当然可以，多么文雅的请求啊！"

黛丝坐在那儿，将方糖放在鼻子上，深深地吸了一口气："多么诱人的馅儿饼味道啊！我喜欢牛肉和火腿……哦，是老鼠肉和熏肉。"

慌乱中黛丝把方糖弄掉了，她只好钻到餐桌底下去找，所以她没看到蕊碧到底是从哪一层烤箱中取出馅儿饼的。

蕊碧把馅儿饼放到了餐桌上，馅儿饼的味道鲜美极了。

"我先把馅儿饼给你切好，然后我再去拿松子蛋糕和果酱。"蕊碧说。

"你真的更爱吃松子蛋糕吗？小心馅儿饼盘！""对不起，你刚才说什么？"蕊碧问。"你要果酱吗？"黛丝急忙改口说道。

馅儿饼的味道好极了，松子蛋糕又脆又热。很快，她们便将自己的食物全都吃光了，尤其是那些馅儿饼。

"我想，"黛丝在心里嘀咕，"我就知道我来切馅儿饼更保险。幸亏在切馅儿饼的时候蕊碧不在，没有发现有什么不一样。这是多么精细的馅儿饼啊！我都不记得我把肉切得这么细。嗯，可能是因为她的烤箱烤起东西来比我的更快吧。"

"黛丝吃东西的速度可真够快的！"

当蕊碧给第五块松子蛋糕涂黄油的时候，心里想着。

馅儿饼很快被吃光了，黛丝吃了四块，可她还在用勺子在盘子里找着什么。

"要再来几片熏肉吗，亲爱的黛丝？"蕊碧问道。"谢谢，亲爱的蕊碧，我只是在感觉这个馅儿饼盘。""馅儿饼盘？亲爱的黛丝，你说什么呢？"

"就是撑馅儿饼皮的模子啊。"黛丝说着，黝黑的脸上突然红了起来。"哦，可是我没有用它，亲爱的黛丝，"蕊碧说，"我觉得做老鼠肉馅儿饼用不着那个。"

黛丝用汤匙划来划去，"真的找不到啊！"她很不安地说。

"根本没有馅儿饼盘。"蕊碧说着，十分费解。"有的，亲爱的蕊碧。它能去哪儿了呢？"黛丝说。

"肯定没有馅儿饼盘，亲爱的黛丝。我不喜欢用锡质的东西来做布丁和馅儿饼。特别是有人吃东西狼吞虎咽的时候。"蕊碧说最后一句话时，放低了声音。

黛丝显得十分惊慌，她依然用汤匙划着盘子。

"我的姑奶奶就是因为在圣诞节吃葡萄干布丁时，不小心吃了一枚顶针儿死了。从那儿以后，我就再也不往布丁或馅儿饼里放任何金属的东西了。"

黛丝看上去吓坏了，她把盘子都竖起来了。

"我一共只有四个馅儿饼盘，它们都在碗柜里。"

黛丝突然大叫起来："我要死了！我把一个馅儿饼盘吞进肚子里了！哦，我现在感觉很不舒服！"

"不会的，亲爱的黛丝，馅儿饼里根本就没有馅儿饼盘啊！"黛丝依旧呻吟着、哭喊着，同时抖动着身体。

"哦，真是太吓人了，我把一个馅儿饼盘吞进肚子里了！"

"馅儿饼里没有任何东西！"蕊碧严肃地说。"有、有，亲爱的蕊碧，我的肚子里真的有一个馅儿饼盘！""亲爱的黛丝，你觉得馅儿饼盘在哪个位置呢？"

"哦，我浑身都不舒服，亲爱的蕊碧，我吞下的是一个很大的锡质馅儿饼盘，而且上面还有尖利的扇形齿边儿！"

"需要请医生吗？等我先把那些汤匙锁起来。""哦，是的！快去请麦格特医生，这只喜鹊一定知道该怎么办。"

蕊碧把黛丝扶到

壁炉前的扶手椅上，然后急匆匆地去村里找医生。在铁匠铺，蕊碧找到了医生。

医生正忙着将生锈的铁钉放进他从邮局找来的一只墨水瓶里。

"不会吧？哈哈！哈哈！"他歪着脑袋说。

蕊碧跟他解释说，她的客人将一个馅儿饼盘吞进了肚子里。

"骗人的吧？"医生一边说着，一边急匆匆地跟着蕊碧往她家赶。

医生飞得太快了，蕊碧不得不跟着跑了起

来。他们的举动实在太惹眼了，以至于整个村子的居民都知道蕊碧请了医生。

可是就在蕊碧去找医生的这段时间里，黛丝身上发生了一件离奇的事情。那时黛丝一个人坐在壁炉前，正一边叹气一边呻吟着，她觉得难受极了。

"我怎么会把它吞下去呢？像馅儿饼盘这么大的一个东西？"她站起来，走到餐桌旁，然后又用汤匙在盘子里划啊划。

"没有啊！没有馅儿饼盘啊，可是我确实放了一个啊。除了我没人吃过馅儿饼，所以只能是我把它吞下去了。"

炉火"噼里啪啦"地作响，火苗正欢快地舞蹈，不知是什么东西发出"嘶嘶"的声音。

黛丝想起来了！她打开烤箱上层的门，浓浓的牛肉和火腿的香味儿扑面而来，一个馅儿饼正躺在那儿。透过馅儿饼皮上的小洞，隐约可见一个馅儿饼盘。

"那么，也就是说我吃的是老鼠肉馅儿饼了。怪不得我会不舒服……不过，这总好过吞下一个馅儿饼盘。"黛丝想，"我该怎么向蕊碧解释呀？我还是把馅儿饼藏到后院，等我离开时，再回来把它取走。"

黛丝把馅儿饼放到了后门外面，又回到壁炉前坐好，闭上了眼睛。当蕊碧和医生赶来时，她都快睡着了。

"装的吧？哈哈！"医生说。"我感觉好多了。"

黛丝醒来后，突然跳起来说。"这是医生给你开的药。""我想只要给我测一下脉搏就会彻底好的。"黛丝说着，向后退了一步，可是喜鹊却跟了过来，嘴里还叼着一个东西。

"亲爱的黛丝，这是一颗面包药丸，你最好把它吃下去，再配上一点儿牛奶。"

"假的吧？"医生说这话的时候，黛丝开始咳嗽起来，甚至有些喘不过气来。

"骗子！哈哈哈！"麦格特医生大叫道，然后得意地从后门走了。

"我现在已经好多了，"黛丝说，"我在天黑之前赶回家会比较好些。"

"这样也好，亲爱的黛丝。披上我最暖和的披巾，让我扶着你回去吧。"

"真的不能再给你添麻烦了。我觉得已经全好了。麦格特医生的药丸……"

"如果那颗药丸能把你的馅儿饼盘给治好了，那真是太神奇了！明天早饭后，我去看看你，看你夜里睡得怎么样。"

道别后，黛丝便朝家走去。走了一半，她便停下来，转身向后看去。此时，蕊碧已经回到了屋子里，房门也已经关上了。黛丝从篱笆墙钻了进去，跑到蕊碧家的房后，朝院子里张望。

麦格特医生和三只乌鸦此时正坐在猪圈的房顶。乌鸦们正美滋滋地吃着馅儿饼，而喜鹊则喝着馅儿饼盘里的肉汁儿。"骗子，哈哈！"麦格特医生一发现黛丝，立刻大叫起来。

黛丝转身跑回家，她觉得自己真是蠢透了！

当蕊碧去后院打水清洗茶具的时候，她发现院子中间有一个打碎了的盘子，那是一个镶着粉色边儿的白盘子。在抽水机下面，她还发现了一个馅儿饼盘。当然，那是麦格特医生故意留在那里的。

蕊碧诧异地看着这一切，"这是怎么回事？还真的有一个馅儿饼盘。可是我的馅儿饼盘全在碗柜里，我还没有用过呢。看来下次再请客的时候——我应该邀请表妹！"

渔夫杰里米的故事

yú fū jié lǐ mǐ de gù shi

很久以前有一只名叫渔夫杰里米的青蛙。他住在池塘边一间湿漉漉的房子里。

储藏室和过道里到处都是湿滑的泥洼。

不过杰米里先生总喜欢把脚弄湿，谁也不会因此而责备他，他从来也没得过感冒。

当他抬头看见天上落下大粒大粒的雨滴，拍打在屋外池塘上的时候，他高兴极了。

"我要抓一些小虫子去钓鱼，晚餐就是美味的小银鱼了，"渔夫杰里米

说，"我要是能钓到五条以上，我就邀请阿尔德曼乌龟先生和艾萨克牛顿爵士共进晚餐。不过，阿尔德曼是个吃生菜的家伙。"

杰里米先生披上防水雨衣，脚上穿了一双亮晶晶的雨靴。他拎着钓鱼竿和篮子，三下两下就跳到了停放小船的地方。

这是一只圆圆、绿绿的小船，看起来就像池塘里的荷叶。小船系在池塘中间的一棵水生植物上。

杰里米先生用芦苇蒿做船桨，把小船从水草丛中划到一片开阔的水域。

"我知道一个钓小银鱼的好地方。"渔夫杰里米先生说道。

雨水滴滴答答地打在他的后背上，大约有一个小时了，他一直盯着他的鱼漂。

"真有点儿无聊！午餐时间到了。"渔夫杰里米先生说。

他撑起小船回到了水草丛中，然后从篮子里拿出他的午餐。

"我先吃个蝴蝶三明治，等着这雨停下来。"渔夫杰里米先生说。

突然，从荷叶上跳下一只大水甲虫，咬了杰里米先生的一只鞋尖。

杰里米先生收了收他的双腿，这样水甲虫就再也抓不到他了。

在池塘边的草丛中，不知道什么东西晃动了一下，伴着"沙沙"的声音，溅起了一片水花。

"我敢肯定那绝不仅仅是一只水耗子," 杰里米先生说, "我还是离这里远一点儿比较好。"

杰里米先生再次将小船从水草丛中撑了出来,在

附近又抛下鱼饵。

不一会儿,鱼就上钩了,只见鱼漂剧烈地抖动着。

"是银鱼!我钩住它了!" 杰里米先生大叫道,并猛地将鱼竿提起。

可是,杰里米先生钓上来的不是一条大个儿头的银鱼,而是一条棘鱼,全身长满尖刺的棘鱼!

棘鱼在小船上拼命挣扎，乱冲乱咬，直到呼吸困难才跳回水中。

这时，一群小鱼探着脑袋，嘲笑渔夫先生。

杰里米先生闷闷不乐地坐在小船边上，一边吮吸着被刺痛的手指，一边望着水面。这时候，更可怕的事情发生了！要是杰里米先生没有穿防水衣，那真是一场灭顶之灾！

一条巨大的鲑鱼冲出水面，飞溅的水花迎面扑来，大鲑鱼"啪"地叼住了杰里米先生，转身又潜入了池塘里。

xiàng jiāo fáng shuǐ yī de qì wèi ràng guī yú jué de ě xin
橡胶防水衣的气味让鲑鱼觉得恶心

jí le yú shì hái bù dào bàn fēn zhōng tā jiù jiāng jié lǐ
极了，于是还不到半分钟，它就将杰里

mǐ xiān sheng tǔ le chū lái zhǐ yǒu yī jiàn dōng xi liú zài le
米先生吐了出来。只有一件东西留在了

tā de dù zi li nà jiù shì jié lǐ mǐ xiān sheng de xiàng jiāo
它的肚子里，那就是杰里米先生的橡胶

yǔ xuē
雨靴。

jié lǐ mǐ xiān sheng yī xià zi
杰里米先生一下子

chōng chū shuǐ miàn jiù xiàng chōng chū
冲出水面，就像冲出

qì shuǐ píng de píng sāi hé qì pào
汽水瓶的瓶塞和气泡，

pīn mìng cháo àn biān yóu qù
拼命朝岸边游去。

tā cóng zuì jìn de dī àn
他从最近的堤岸

pá shàng qù shēn shang hái chuān
爬上去，身上还穿

zhe nà jiàn yǐ jīng bèi sī làn de
着那件已经被撕烂的

yǔ yī chuān guò cǎo dì yī
雨衣，穿过草地，一

tiào yī tiào de huí jiā le
跳一跳地回家了。

"多亏那不是一条梭子鱼！"渔夫杰里米先生感叹道。

"鱼竿和篮子都丢了，不过那也不重要了，我估计我以后再也不敢去钓鱼了。"

他往手上贴了一些创可贴，这时候他的两个朋友已经来赴晚宴了，不过他的储藏室里应该还有不少粮食。

穿着黑条纹金色背心的是艾萨克牛顿爵士。

而阿尔德曼先生则带来一网兜生菜。虽然没有可口的小银鱼，不过可以用烤蚱蜢和瓢虫酱来代替。青蛙先生认为这顿晚宴还算丰盛。不过，我觉得是够难吃的。

一只凶猛的坏兔子的故事

这是一只凶猛的坏兔子。你看他那野蛮的胡须、他的爪子，还有他那向上翘起的尾巴。

这是一只性情温和的兔子。他的妈妈给了他一根胡萝卜。

nà zhī huài tù zi
那 只 坏 兔 子
yě xiǎng chī hú luó bo
也 想 吃 胡 萝 卜。

tā méi yǒu shuō
他 没 有 说
qǐng bǎ hú luó bo sòng gěi
"请 把 胡 萝 卜 送 给
tā fǎn ér shàng qù yī
他"，反 而 上 去 一
bǎ jiù qiǎng le guò lái
把 就 抢 了 过 来。

lìng wài　　huài tù zi
另外，坏兔子

hái bǎ nà zhī hǎo tù zi zhuā
还把那只好兔子抓

shāng le
伤了。

hǎo tù zi yī yán bù
好兔子一言不

fā de zǒu kāi le　　cáng zài
发地走开了，藏在

yī gè dòng li　　tā gǎn jué
一个洞里。他感觉

bēi shāng jí le
悲伤极了。

zhè shì yī gè shǒu wò
这是一个手握

chángqiāng de liè rén
长枪的猎人。

lie rén kàn jiàn yǒu gè shén
猎人看见有个什
me dōng xi zuò zài cháng yǐ zi
么东西坐在长椅子
shang tā yǐ wéi nà shì yī zhī
上。他以为那是一只
yǒu qù de xiǎo niǎo
有趣的小鸟。

yú shì liè rén qiāo
于是，猎人悄
qiāo de cóng shù hòu zǒu guò qù
悄地从树后走过去。

rán hòu liè rén jǔ qǐ
然后，猎人举起
chángqiāngmiáozhǔn pēng
长枪瞄准——砰！

zhè jiù shì suǒ fā
这就是所发
shēng de yī qiè
生的一切。

dàn shì dāng liè
但是，当猎
rén jǔ zhe qiāng pǎo dào cháng
人举着枪跑到长
yǐ nàr de shí hou nà
椅那儿的时候，那
lǐ jiù zhǐ shèng xià zhè xiē
里就只剩下这些
dōng xi le
东西了。

hǎo tù zi duǒ zài dòng
好兔子躲在洞
li tōu tōu de kàn dào le wài
里，偷偷地看到了外
miàn fā shēng de yī qiè
面发生的一切。

tā kàn dào huài
他看到坏
tù zi liú zhe yǎn lèi
兔子流着眼泪
táo zǒu le méi yǒu
逃走了，没有
le wěi ba yě méi
了尾巴，也没
yǒu le hú xū
有了胡须。

娃娃小姐的故事

这是一只小猫，她被大家称作"娃娃小姐"。她觉得自己听到了一只老鼠的声音。

这是一只躲在碗柜后面的老鼠，正探头探脑地向外偷看，和娃娃小姐开着玩笑。他一点儿也不怕猫。

wá wa xiǎo jiě měng de
娃 娃 小 姐 猛 地
tiào le guò qù kě xī hái
跳 了 过 去 ， 可 惜 还
shi tài màn le méi zhuā dào
是 太 慢 了 ， 没 抓 到
lǎo shǔ fǎn ér pèng dào le zì
老 鼠 反 而 碰 到 了 自
jǐ de tóu
己 的 头 。

tā xiǎng zhè
她 想 ， 这
ge wǎn guì shí zài shì
个 碗 柜 实 在 是
tài yìng le
太 硬 了 ！

zhè shí lǎo shǔ zhèng
这 时 ， 老 鼠 正
pā zài wǎn guì dǐng shang kàn zhe
趴 在 碗 柜 顶 上 ， 看 着
wá wa xiǎo jiě ne
娃 娃 小 姐 呢 。

wá wa xiǎo jiě yòng yī kuài
娃娃小姐用一块

mā bù bāo zhù zì jǐ de nǎo dai
抹布包住自己的脑袋，

rán hòu zuò zài le huǒ lú qián
然后坐在了火炉前。

lǎo shǔ xiǎng tā hǎo
老鼠想，她好

xiàng shāng de bù qīng a yú
像伤得不轻啊。于

shì tā shùn zhe lā líng de
是，他顺着拉铃的

shéng zi huá le xià lái
绳子滑了下来。

wá wa xiǎo jiě kàn shàng qù yuè
娃娃小姐看上去越

lái yuè bù shū fu le zhè shí lǎo
来越不舒服了。这时，老

shǔ xiǎo xīn yì yì de kào jìn zhe
鼠小心翼翼地靠近着。

wá wa xiǎo jiě yòng zhuǎ
娃 娃 小 姐 用 爪
zi bào zhe zì jǐ kě lián de nǎo
子 抱 着 自 己 可 怜 的 脑
dai rán hòu tòu guò mā bù
袋 ，然 后 透 过 抹 布
shang de yī gè xiǎo dòng kàn zhe
上 的 一 个 小 洞 看 着
lǎo shǔ lǎo shǔ yǐ jīng lí tā
老 鼠 。老 鼠 已 经 离 她
fēi cháng jìn le
非 常 近 了 。

tū rán wá wa
突 然 ，娃 娃
xiǎo jiě měng de pū xiàng lǎo
小 姐 猛 地 扑 向 老
shǔ
鼠 ！

yīn wèi lǎo shǔ gāng cái
因为老鼠刚才

xì nòng guo wá wa xiǎo jiě   wá
戏弄过娃娃小姐，娃

wa xiǎo jiě rèn wéi   tā yě yīng
娃小姐认为，她也应

gāi shuǎ nòng yī xià lǎo shǔ   kě
该耍弄一下老鼠。可

shì   wá wa xiǎo jiě de xíng wéi
是，娃娃小姐的行为

yī diǎnr   yě bù hǎo
一点儿也不好。

tā bǎ lǎo shǔ
她把老鼠

bāo zài mā bù li
包在抹布里，

xiàng wán qiú yī yàng pāo
像玩球一样抛

lái pāo qù
来抛去。

dàn shì tā wàng
但是，她忘
le mā bù shang yǒu gè xiǎo
了抹布上有个小
dòng dāng tā jiě kāi mā
洞。当她解开抹
bù āi yā lǎo
布 —— 哎呀，老
shǔ méi yǒu le
鼠没有了！

lǎo shǔ zǎo jiù
老鼠早就
zuān chū mā bù táo
钻出抹布，逃
zǒu le nǐ kàn
走了。你看，
tā zhèng zài wǎn guì
他正在碗柜
dǐng shang tiào zhe kuài
顶上跳着快
bù wǔ ne
步舞呢！

xiǎo māo tāng mǔ de gù shi
小猫汤姆的故事

hěn jiǔ yǐ qián yǒu sān
很久以前，有三

zhī xiǎo māo tā men de míng zi
只小猫，他们的名字

fēn bié shì shǒu tào xiǎo māo tāng
分别是：手套、小猫汤

mǔ hé wá wa
姆和娃娃。

tā men sān gè dōu yǒu yī
他们三个都有一

shēn piào liang de máo tā men yào me zài mén kǒu de tái jiē shang
身漂亮的毛。他们要么在门口的台阶上

dǎ gǔn yào me zài chén tǔ li wán nào
打滚，要么在尘土里玩闹。

yī tiān tǎ bǐ sè tè wéi qiè tè fū rén yě
一天，塔比瑟·特维切特夫人，也

jiù shì tā men de mā ma dǎ suàn yāo qǐng péng you lái jiā li hē
就是他们的妈妈打算邀请朋友来家里喝

chá yú shì sān zhī xiǎo māo bèi tā cóng wài miàn zhuō le huí
茶。于是三只小猫被她从外面捉了回

lái tā xiǎng zài guì kè dào lái zhī qián wèi tā men shū xǐ
来，她想在贵客到来之前，为他们梳洗

dǎ ban yī xià
打扮一下。

shǒu xiān　　tā gěi tā men
首先，她给他们
cā liǎn　　zhè ge shì wá wa
擦脸（这个是娃娃）。

rán hòu　　　tā gěi
然后，她给
tā men shuā máo　　zhè ge
他们刷毛（这个
shì shǒu tào
是手套）。

jiē xià lái　　tā gěi tā
接下来，她给他
men shū lǐ wěi ba hé hú xū　　zhè
们梳理尾巴和胡须（这
ge shì xiǎo māo tāng mǔ
个是小猫汤姆）。

tāng mǔ shí fēn táo qì
汤姆十分淘气，
tā lǎo shì zhuā lái zhuā qù
他老是抓来抓去。

塔瑟比夫人给娃娃和手套穿上了干净的领布，打上了围衬。接着，她又从

衣柜的抽屉里拿出一些看上去高雅但是并不舒服的衣服，准备为汤姆打扮。

小猫汤姆非常胖，而且他已经长大了。好几颗纽扣都被他撑掉了，妈妈只好又将它们缝上去。

打扮完三只小猫后，塔比瑟夫人为了能专心烤奶油面包，很不明智地将三只小猫放到花园里去了。

"孩子们，注意保持衣服整洁！你们只能用后腿走路。"

"注意离那些脏地方远一点儿，离母鸡萨利·汉妮·彭妮也远点儿，还有千万不要靠近猪舍和那些水鸭！"

娃娃和手套晃晃悠悠地走在花园的小路上。不一会儿，他们就踩到了各自的小围裙上，全都摔了大跟头。

站起来的时候，衣服上已经染上了几块绿色的污点。

"咱们爬过假山到花园的围墙上去坐坐吧。"娃娃建议道。

于是他们把领布

转到背后，朝着高处蹦蹦跳跳地跑去。

这时，娃娃的白色领布掉在了大路上。

小猫汤姆的后腿完全被绑在裤子里，根本跳不起来，只好一步步地蹭到假山上，衣扣也掉得东一个西一个。

当他走到围墙顶上时，衣服都成碎片了。

娃娃和手套试着帮他把衣服整理好，可是帽子又掉下了围墙，而且仅剩的几颗纽扣也一起掉了下去。

正当他们狼狈不堪的时候，忽然从远处传来"啪嗒啪嗒"的声音。原来，三只水鸭沿着大路向他们这边走了过来。他们队伍整齐，一摇一摆地迈着鸭步——"啪嗒啪嗒！""啪嗒啪嗒！"

三只水鸭终于停下脚步，他们站成一排，开始看着三只小猫。水鸭们的眼睛特别小，此刻，他们的脸上流露出惊讶的表情。

然后鸭子丽贝卡和杰麦玛从围墙下捡起帽子和领布，把它们戴到了自己的头上。

手套大笑起来，却不小心从围墙上掉了下去。娃娃和汤姆也跟着跳下围墙，就在他们跳下来的时候，她们的围裙和汤姆身上的衣服都掉光了。

"来啊！水鸭德雷克先生，"娃娃说，"帮我们给汤姆穿好衣服吧！还有把扣子扣上。"水鸭德雷克先生侧着身子，慢慢地挪了过来，捡起了地上的那些衣服。

可是，德雷克先生自己却穿上了这些衣服。

"这真是一个美好的早晨啊！"水鸭德雷克先生说。

然后水鸭德雷克先生、杰麦玛和丽贝卡又迈着大步向前走去,他们依然保持着刚才的队形——"啪嗒啪嗒!啪嗒啪嗒!"

这时塔比瑟·特维切特夫人走进了花园,此刻她看到的是三只光溜溜的小猫站在围墙上,身上一件衣服都没穿。

她把三只小猫从围墙上拉下来,打了他们几下,然后将他们押回了家。

"我的朋友马上就要来了,你们全都不许出去见客人。我的脸简直被你们丢光了!"塔比瑟·特维切特夫人骂道。

她将三只小猫关在了楼上的房间里。然后她跟朋友解释说，三只

小猫因患麻疹正卧病在床呢——当然这不是真的。

事实刚好相反，他们根本不在床上，一刻都没在床上。

不知怎么回事，楼上传来一阵阵非常吵闹的声音，楼下那场尊贵、宁静的茶会完全被搅乱了。

我想，有一天当我在写另外一本书的时候，我会告诉你们更多有关小猫汤姆的事情。

至于那些水鸭呢——他们此刻正在池塘里。那些衣服全都掉进了水里，因为上面一颗纽扣都没有剩下。

瞧，水鸭德雷克先生、杰麦玛和丽贝卡小姐，他们现在还在找衣服呢！

水鸭杰麦玛的故事
shuǐ yā jié mài mǎ de gù shi

一群小鸭子跟着一只老母鸡——这是一幅多么有趣的画面啊!

听一听水鸭杰麦玛的故事吧。因为农夫的妻子不让她自己孵蛋,可把她气坏了。

她的弟媳——水鸭丽贝卡夫人,倒是十分愿意让别的动物为她孵小鸭:"我可没有耐心在窝里待上二十八天,你也不会有那耐心的,杰麦玛。要知道,你会让蛋受凉的!"

"我希望我可以孵我自己生的蛋，我要亲自将孩子们全都孵出来。嘎嘎！"水鸭杰麦玛嚷道。

杰麦玛费尽心思地把她的蛋藏了起来，可是到头来总会被人找到。最后，她只能眼睁睁地看着别人抢走她的蛋。

这让水鸭杰麦玛感到绝望极了。她下定决心，一定要在离农场很远的地方建一个自己的窝。

一个美好的下午，杰麦玛出发了，她沿着大路向着山岗的方向走去。

她围着一条披巾，戴着一顶女帽。

到达山顶的时候，她看到远处有一片树林。她想，那地方看上去很安全、清净呢。

水鸭杰麦玛的飞行技术不怎么样。她沿着山坡跑了几步，只见披巾随风摆动，紧接着她用力向空中一跳。

起飞动作不错，杰麦玛飞得美极了！

她飞呀，飞呀，飞

过树梢，最后树林中间一大片开阔的空地吸引了她。这里的大树和灌木丛已经被砍得光秃秃的了。

杰麦玛笨拙地着陆了。然后开始寻找一个可以做窝的地方，这个地方最好舒服并且干燥。很快，她看上了隐

藏在高大的指顶花中间的一个大树桩。

但是她吃惊地发现，一位绅士正坐在树桩上看着报纸。他黑黑的耳朵竖在头顶，还长着淡棕色的胡须。

"嘎？"水鸭杰麦玛歪着戴帽子的脑袋和绅士说道，"嘎？"

绅士抬起头，目光越过报纸好奇地看着杰麦玛。

"夫人，你迷路了吗？"他问。可能是树桩有些潮湿吧，绅士此刻正坐在他那毛茸茸的长尾巴上呢！

杰麦玛想，这位绅士不但长得英俊，还很有礼貌。她连忙说自己没有迷路，只是想找一个舒适的地方做个窝。

"哦，是这样啊！"这位长着淡棕色胡须的绅士好奇地看着杰麦玛。他折起报纸，将它塞到上衣后摆的口袋里。

接着，杰麦玛开始抱怨那该死的母鸡有多么爱管闲事。

"是吗，真有意思！我真想见见她。我一定会好好教训她，管好自己的事就得了！"

"不过，至于做窝——那并不难！我的柴草棚还有一大堆羽毛。不用担心，亲爱的夫人，你不会因此影响到谁，你想在那里待多久都行。"长毛尾巴绅士说。

接着，他把杰麦玛带到了指顶花丛中一个看上去有些阴森的房子里。

这座房子的原料都是木柴和干草，房顶上面有两只倒扣在一起的破桶，用来充当烟囱。

"夏天的时候我就住在这里。你要是想去地洞找我——哦，我是说，我冬天住的房子，那可难了。"好客的绅士说。

在这个小房子的后面立着一个摇摇欲坠的小棚子，看上去是用旧肥皂箱子堆成的。绅士将小棚子的门打开，然后请杰麦玛进去。

这个小棚子几乎被羽毛填满了。虽说这里的空气不怎么样，但却让人感觉非常舒服、软乎乎的。

这么一大堆羽毛让水鸭杰麦玛相当吃惊。可是这些羽毛太舒服了，她不费吹灰之力就为自己做了一个舒适的小窝。

杰麦玛走出小棚子的时候，看见淡棕色胡须的绅士正坐在木桩上看报纸，至少看上去报纸是展开的，可是他的目光却越过了报纸。

他真是有礼貌，让杰麦玛回家过夜。他保证会照顾好她的小窝，直到她第二天回来。他说他十分喜欢蛋和小鸭子，能有一窝漂亮的小鸭子出生在他的小棚子里，他感到很自豪。

每天下午，水鸭杰麦玛都会去树林的小窝，在这个小窝里她总共下了九个蛋。这些鸭蛋为青白色，个个都很大。那位长得很像狐狸的绅士对这些鸭蛋热爱不已，当杰麦玛不在的时候，他总是一遍遍地翻滚它们，数了又数。

不久，杰麦玛告诉绅士说，她要在第二天开始孵蛋——"我会带上一口袋玉米，这样在小鸭子出生之前，我就不用离开我的窝了，要不他们会受凉的。"

"夫人，请求你不用那么麻烦从那么远的地方带一袋玉米。我完全可以提供燕麦。不过在漫长的孵蛋工作开始之前，我想请你吃顿饭。让我们为自己举办一场派对吧！你能从农场的菜园里摘些香草来吗？我们要用它来做味道好得不得了的煎蛋卷。还有鼠尾草、百里香、薄荷和两个洋葱

以及一些香芹。至于煎蛋卷要用的猪油我来提供吧。"热情的淡棕色胡须的绅士说道。

杰麦玛真是傻透了!这位绅士甚至提到了鼠尾草和洋葱,她竟然都没有怀疑。

杰麦玛回到农场后,去了菜园,在那里她咬下各种各样填烤鸭用的香草。最后,杰麦玛又晃晃悠悠地走进了厨房,从篮子里取出了两颗洋葱。

见她走出厨房,牧羊犬开普好奇地问:"你拿洋葱做什么?你每天下午一个人都去哪儿了,水鸭杰麦玛?"

杰麦玛平时对牧羊犬很敬畏，便将事情的经过仔仔细细地告诉了开普。

聪明的牧羊犬歪着脑袋，认真地听杰麦玛讲自己的事。当她说到那位文雅的绅士有着淡棕色的胡须时，他咧嘴笑起来。牧羊犬问了关于那个树林的几个问题，包括那座房子和小棚子的具体位置。然后牧羊犬走了，这时他正飞

快地向村庄跑去，他打算找两只小猎狗来帮忙，此时他们正和屠夫一起散步呢。

一个阳光明媚的午后，水鸭杰麦玛再一次踏上了大路。

她提着重重的大口袋，里面装着各种各样的香草，还有两颗洋葱。

她飞过树林，在长尾巴绅士家的对面落了下来。

长尾巴绅士坐在一根木头上。此时他正用力不停地吸着鼻子，嗅着周围的气味，不安地环视四周的树林。

杰麦玛落到地上的时候，他猛地跳了起来。

"你先看一下你的那些蛋，然后立刻来我房间，把煎蛋卷用的香草都给我带过来，快点儿！"

他的语气变得异常生硬，水鸭杰麦玛还没有听他用这种语气说过话呢！

这让她感到很惊讶和不安。

杰麦玛刚走进小棚子，她身后便响起急促的脚步声。一个黑鼻子在门边闻了闻，然后锁上了门。

杰麦玛此刻感到格外慌张。

很快，外面传来可怕的声音——咆哮声、狗叫声、怒吼声、嚎叫声，中间还夹杂着呻吟声。

这之后，长着淡棕色胡须的绅士的声音便消失了。

不久，开普打开了小棚子的门，水鸭杰麦玛走了出来。

遗憾的是，两只小猎狗突然冲进小棚子，牧羊犬根本来不及阻止他们，那些可怜的鸭蛋就已经进了他们的肚子。

杰麦玛看到，牧羊犬的耳朵被咬坏了，两只小猎狗也都一瘸一拐的。

含着眼泪的杰麦玛被护送回家，此刻，她非常想念她的蛋。六月的时候，杰麦玛又下了很多蛋。这一次，农夫的妻子准许她可以自己孵蛋了。不过，这么多的蛋她只孵出了四只小鸭子。

杰麦玛解释说，可能是自己太紧张了。不过，其实她一直就不太能坐得住。

弗洛浦西家的小兔们的故事

据说兔子吃太多莴苣产生的效果就是"犯困"。对我来说，莴苣吃多了从来不会犯困，因为我不是一只兔子。犯困效应对弗洛浦西家的兔子来说绝对适用。

本杰明长大后娶了表妹弗洛浦西。他们建立了一个大家庭，他们毫无远见却十分开心。

我不记得他的孩子们都叫什么名字了。他们统称为"弗洛浦西家的小兔们"。

因为他们的食物总是不够吃，所以本杰明常常向弗洛浦西的哥哥兔子彼得借一些圆白菜。彼得自己有一个菜园子。

有时候，兔子彼得没有多余的圆白菜。

这时候，弗洛浦西家的小兔们就会跑去菜地另一头的垃圾堆，就在麦格雷戈先生菜园外的沟里。

麦格雷戈先生的垃圾堆里什么都有，果酱罐、纸袋子、割草机割下的一堆堆草（吃起来油腻腻的），一些腐烂的葫芦和两只旧靴子。

哦，天哪！这儿有一大堆长过了头，要开花的莴苣。

弗洛浦西家的小兔们把这堆莴苣吃了

个大饱。不一会儿，

一个接一个地就被

困倦袭倒，躺在割

草堆上了。

本杰明没有像

他的孩子们那样困。

睡觉之前，他还足够

清醒地给自己头上

套了个大纸袋子，防

止苍蝇骚扰。

在温暖的阳光下，弗洛浦西家的小兔们睡得美滋滋的。从菜园子前的草坪上远远传来割草机嘈杂的声

音。丽蝇在墙四周嗡嗡直叫，一只年老的小老鼠在果酱罐子中捡着垃圾。

她叫汤玛斯那提提老鼠，一只长尾巴野鼠。

她在纸袋子中间寻寻觅觅，吵醒了兔子本杰明。

老鼠十分大方地道歉，并说她认识兔子彼得。

就在她和本杰明贴着墙角聊天的时候，从他们脑袋上传来一阵沉重的脚步声。突然间，麦格雷戈先生倾倒了一满袋割草，正好全倒在熟睡的弗洛浦西家的小兔们身上。本杰明在他的纸袋子下面缩成一团，

老鼠藏进了一个果酱罐。

小兔们在割草堆里依然熟睡，脸上露出甜美的微笑。因为莴苣让他们困得厉害，他们根本没被吵醒。

他们梦见弗洛浦西妈妈正在他们的干草床上给他们盖好被子。

麦格雷戈先生倒完袋子后，往下看了看。他看见一些棕色耳朵的小尖角从割

草堆里伸出来，十分滑稽。他盯着他们看了半天。

这时一只苍蝇在一只尖角上停了下来，然后又飞走了。

麦格雷戈先生爬上了垃圾堆。

"一、二、三、四、五、六，六只小兔子！"他说着，把小兔子们都扔进了自己的袋子里。

弗洛浦西家的小兔们还在梦着妈妈帮自己在床上翻身。他们在睡梦中抖动了一下，但还是没有醒过来。

麦格雷戈先生系上袋子，把它丢在围墙旁。

他自己去继续割草了。

当麦格雷戈先生离开的时候，弗洛浦西兔子夫人（她一直留在家里）来到了菜地这边。

她狐疑地看着这个袋子，奇怪小兔子们都去哪儿了？

接着，老鼠从她的果酱罐里出来了，本杰明把纸袋子从头上拿开，他们告诉弗洛浦西夫人这个悲惨的消息。

本杰明和弗洛浦西十分绝望，他们

méi fǎr jiě kāi shéng zi
没法儿解开绳子。

dàn shì lǎo shǔ shì yī wèi
但是老鼠是一位

diǎn zi hěn duō de rén tā yī
点子很多的人。她一

diǎn diǎn bǎ dài zi de dǐ jiǎo kěn
点点把袋子的底角啃

chū le yī gè dòng
出了一个洞。

xiǎo tù zi men bèi yī gè gè
小兔子们被一个个

tuō chū lái qiā xǐng le
拖出来，掐醒了。

tā men de fù mǔ jiāng kōng
他们的父母将空

dài zi zhuāng shàng sān gè fǔ làn de
袋子装上三个腐烂的

hú lu yī gè tú liào yòng de máo
葫芦，一个涂料用的毛

shuā hé liǎng gè biàn zhì de luó bo
刷和两个变质的萝卜。

rán hòu tā men quán dōu
然后它们全都

cáng zài shù cóng xià kàn zhe
藏在树丛下，看着

mài gé léi gē xiān sheng
麦格雷戈先生。

麦格雷戈先生回来拎起袋子走了。

他拎着直往下坠的袋子，好像很重的样子。

弗洛浦西家的小兔们远远地躲在后面，和他保持着安全的距离。他们看着他走进自己的房子。

然后他们在窗户下面偷偷听着。

麦格雷戈先生将袋子一下扔在地板上，这要是弗洛浦西家的小兔们在里面，那可真够痛苦的。

他们听见麦格雷戈先生一边拽着菖蒲上的椅子，一边咯咯笑着。

"一、二、三、四、五、六，六只小兔子！"麦格雷戈先生说。

"嗯？这是什么？怎么都变质了？"麦格雷戈夫人问道。

"一、二、三、

四、五、六，六只小肥兔子！"麦格雷戈先生重复着，还一边掰着手指头数着："一、二、三……"

"你是不是傻啊，你说什么呢？你这个傻老头儿。"

"在袋子里啊！一、二、三、四、

五、六！"麦格雷戈先生答道。

弗洛浦西家最小的兔子跳上了窗台。

麦格雷戈夫人拿着袋子摸着。她说她能感觉到六只，但他们肯定都是老兔子，因为他们很硬，而且形状都不一样。

"不太适合吃，不过他们的皮可以做我旧斗篷的里子。"麦格雷戈先生大叫道："我要把他们卖了，给我自己买点儿烟草！"

"我要扒了他们的皮，砍下他们的脑袋！"

mài gé léi gē fū rén
麦格雷戈夫人

bǎ dài zi jiě kāi jiāng shǒu
把袋子解开，将手

shēn le jìn qù
伸了进去。

dāng tā mō dào shū cài
当她摸到蔬菜

de shí hou tā wàn fēn nǎo
的时候，她万分恼

huǒ tā shuō mài gé léi gē
火。她说麦格雷戈

xiān sheng yī dìng shì gù yì zhè me gàn de
先生一定是故意这么干的。

mài gé léi gē xiān sheng yě
麦格雷戈先生也

hěn shēng qì yī zhī hú lu chuān
很生气。一只葫芦穿

guò chú fáng de chuāng hu zhí fēi guò
过厨房的窗户直飞过

lái zhèng hǎo zá dào fú luò pǔ
来，正好砸到弗洛浦

xī jiā zuì xiǎo de tù zi
西家最小的兔子。

hái zhēn shì hěn téng
还真是很疼。

běn jié míng hé fú luò
本 杰 明 和 弗 洛

pǔ xī jué de gāi huí jiā le
浦 西 觉 得 该 回 家 了 。

mài gé léi gē xiān sheng
麦 格 雷 戈 先 生

méi yǒu mǎi dào tā de yān cǎo
没 有 买 到 他 的 烟 草 ,

mài gé léi gē fū rén yě méi
麦 格 雷 戈 夫 人 也 没

yǒu dé dào tā de tù pí
有 得 到 她 的 兔 皮 。

bù guò dì èr nián shèng
不 过 第 二 年 圣

dàn jié tāng mǎ sī nà tí
诞 节 , 汤 玛 斯 那 提

tí lǎo shǔ dé dào le tù máo zuò wéi lǐ wù zú yǐ ràng tā zuò
提 老 鼠 得 到 了 兔 毛 作 为 礼 物 , 足 以 让 她 做

chéng yī jiàn dài mào zi de dǒu peng yī jiàn piào liang de nuǎn shǒu
成 一 件 带 帽 子 的 斗 篷 、 一 件 漂 亮 的 暖 手

lóng hé yī fù nuǎn huo de shǒu tào
笼 和 一 副 暖 和 的 手 套 。

彼得兔的故事

美术编辑：张鹤飞

文图编辑：邵鹤丽

封面设计：刘潇然

版式设计：罗小玲

特约审校：杨　凡

成长必读